LES ROBOTS
AU SERVICE DE L'HOMME

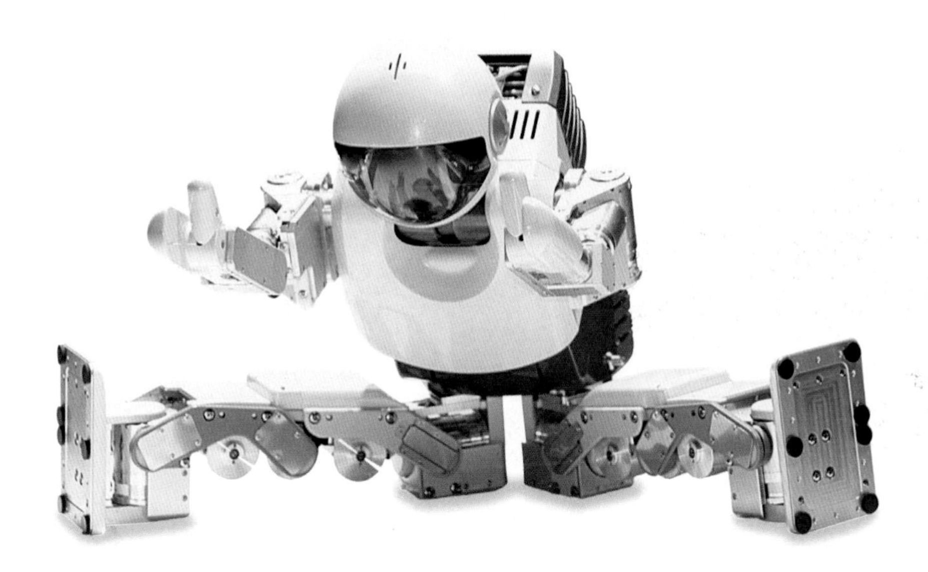

Jouet mécanique représentant un robot

Hobo, robot démineur

Evolution Robotics ER2, robot domestique

PeopleBot, robot mobile commercialisé

Lego Mindstorms, robot humanoïde

Robug III, robot à huit pattes

Koala, robot mobile commercialisé

LES ROBOTS
AU SERVICE DE L'HOMME

par

Roger Bridgman

Photographies originales de Steve Teague

Robot-jouet

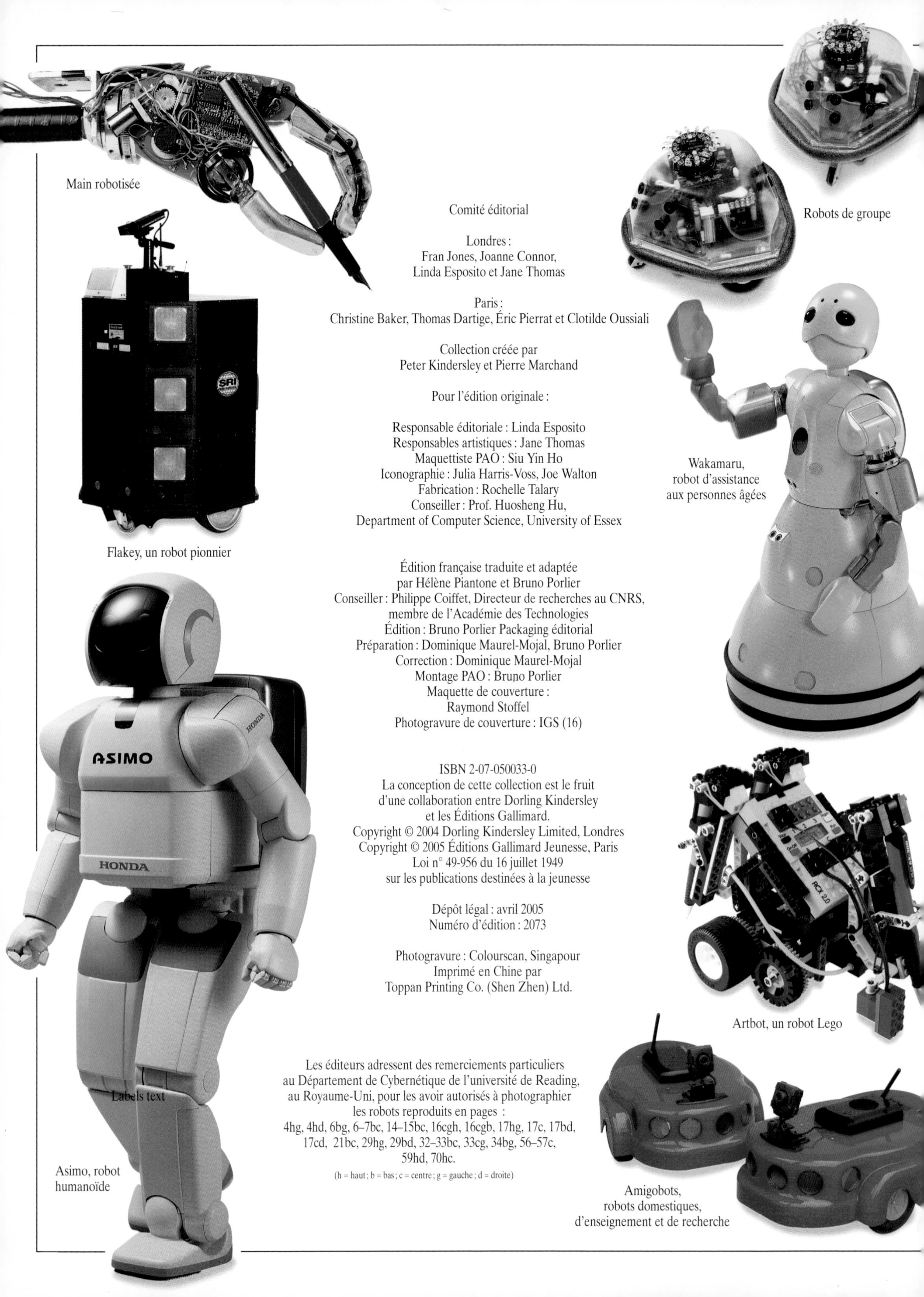

Main robotisée

Robots de groupe

Flakey, un robot pionnier

Wakamaru, robot d'assistance aux personnes âgées

Asimo, robot humanoïde

Artbot, un robot Lego

Amigobots, robots domestiques, d'enseignement et de recherche

Comité éditorial

Londres :
Fran Jones, Joanne Connor,
Linda Esposito et Jane Thomas

Paris :
Christine Baker, Thomas Dartige, Éric Pierrat et Clotilde Oussiali

Collection créée par
Peter Kindersley et Pierre Marchand

Pour l'édition originale :

Responsable éditoriale : Linda Esposito
Responsables artistiques : Jane Thomas
Maquettiste PAO : Siu Yin Ho
Iconographie : Julia Harris-Voss, Joe Walton
Fabrication : Rochelle Talary
Conseiller : Prof. Huosheng Hu,
Department of Computer Science, University of Essex

Édition française traduite et adaptée
par Hélène Piantone et Bruno Porlier
Conseiller : Philippe Coiffet, Directeur de recherches au CNRS,
membre de l'Académie des Technologies
Édition : Bruno Porlier Packaging éditorial
Préparation : Dominique Maurel-Mojal, Bruno Porlier
Correction : Dominique Maurel-Mojal
Montage PAO : Bruno Porlier
Maquette de couverture :
Raymond Stoffel
Photogravure de couverture : IGS (16)

ISBN 2-07-050033-0
La conception de cette collection est le fruit
d'une collaboration entre Dorling Kindersley
et les Éditions Gallimard.

Loi n° 49-956 du 16 juillet 1949
sur les publications destinées à la jeunesse

Dépôt légal : avril 2005
Numéro d'édition : 2073

Photogravure : Colourscan, Singapour
Imprimé en Chine par
Toppan Printing Co. (Shen Zhen) Ltd.

Les éditeurs adressent des remerciements particuliers
au Département de Cybernétique de l'université de Reading,
au Royaume-Uni, pour les avoir autorisés à photographier
les robots reproduits en pages :
4hg, 4hd, 6bg, 6–7bc, 14–15bc, 16cgh, 16cgb, 17hg, 17c, 17bd,
17cd, 21bc, 29hg, 29bd, 32–33bc, 33cg, 34bg, 56–57c,
59hd, 70hc.
(h = haut ; b = bas ; c = centre ; g = gauche ; d = droite)

SOMMAIRE

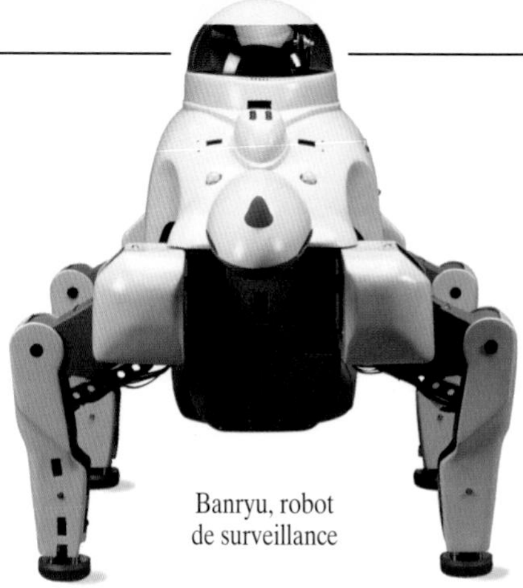
Banryu, robot de surveillance

QU'EST-CE QU'UN ROBOT ?

Au début du XXe siècle, avec les progrès techniques, l'homme s'est pris à rêver de machines capables d'assurer des tâches multiples. Jusqu'alors, lui seul pouvait effectuer des travaux variés grâce à ses bras, ses mains et ses jambes. Aussi, ces machines devraient avoir une structure mécanique rappelant les possibilités humaines. C'est ainsi qu'est née l'idée du robot. Mais un robot n'a pas besoin de ressembler en tous points à l'homme. Il en existe de nos jours qui n'ont qu'un bras et ne peuvent se déplacer. Bien sûr, on s'intéresse aussi beaucoup aux modèles mobiles, capables de se rendre aux endroits appropriés pour exécuter leurs tâches. Les robots se caractérisent également par leur degré d'autonomie, plus ou moins grand selon le rôle que joue l'homme dans leur guidage. On cherche naturellement à les rendre le plus autonomes possible.

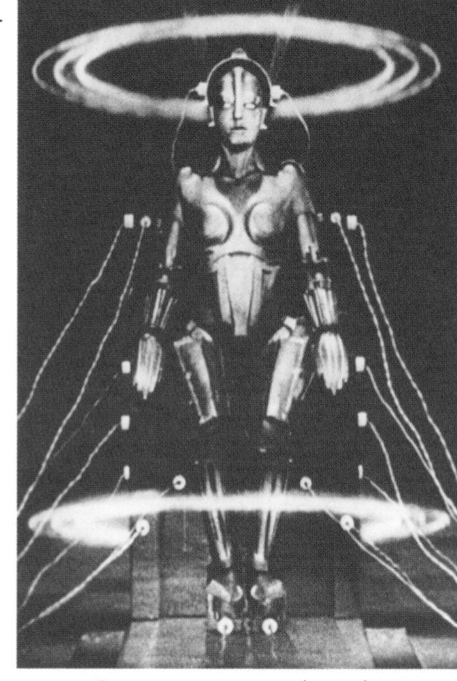

DES VEDETTES DE CINÉMA MÉCANIQUES
Cette femme mécanique fut l'un des premiers robots à apparaître au cinéma. Elle fut créée en 1926 pour le film muet *Metropolis*, du réalisateur allemand Fritz Lang. Le Septième Art, surtout avec les moyens dont il dispose aujourd'hui, a le pouvoir de faire apparaître réel presque tout ce qui peut sortir de l'imagination de l'homme, et la fiction et le fantastique ont contribué à orienter le développement des véritables robots.

UN MOT NOUVEAU
Le mot « robot » fut créé par l'auteur tchèque Karel Capek (1890-1938) pour sa pièce de théâtre, *Les Robots universels de Rossum*, qui mettait en scène des machines à l'aspect humain. Il dérive du tchèque *robota*, qui signifie « travail forcé, corvée ». Capek écrivit sa pièce en 1920, mais le terme ne fit son apparition dans le langage courant qu'en 1923, lorsque l'œuvre fut jouée pour la première fois à Londres, en Grande-Bretagne.

Personnage de la pièce *Les Robots universels de Rossum*

Récepteurs infrarouges

Emetteurs infrarouges

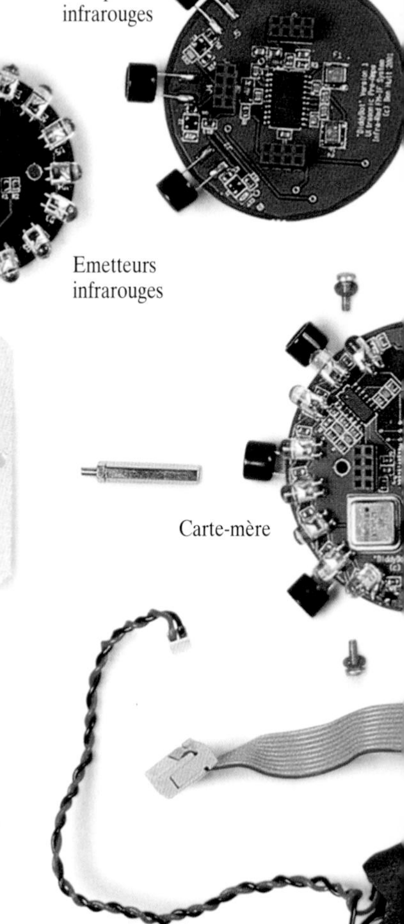

Carte-mère

LES COMPOSANTS DE BASE
Les robots les plus simples sont constitués de plusieurs unités de base qui assurent la mobilité, la détection sensorielle et l'intelligence. Le robot ci-contre se déplace sur des roues mues électriquement et utilise la lumière infrarouge pour détecter les éléments de son environnement. Quant à son intelligence, il la tire d'un petit ordinateur embarqué sur la carte-mère.

Vis de la roue antérieure

Roue antérieure

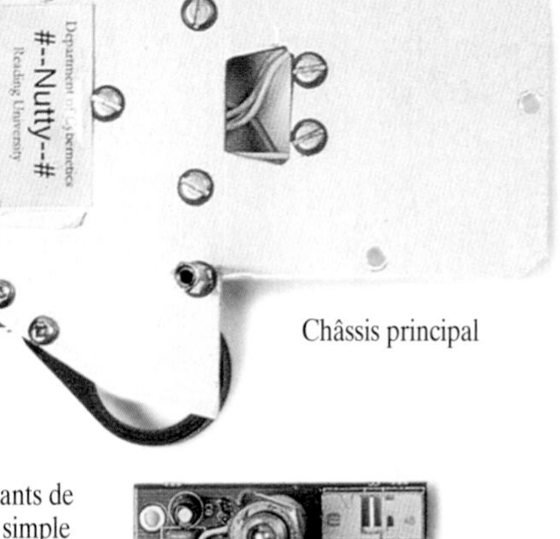

Châssis principal

LE ROBOT ASSEMBLÉ
Une fois assemblés, les composants de base constituent un petit robot simple mais très mobile (à gauche), capable de se déplacer et d'éviter les obstacles sans l'aide de l'homme. Il a été conçu pour démontrer les possibilités de la robotique au musée des Sciences et de la Découverte de Thinktank, à Birmingham, en Grande-Bretagne.

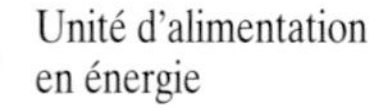

Unité d'alimentation en énergie

Des ouvriers infaillibles et toujours fidèles au poste
Sur le million (environ) de robots actuellement en service dans le monde, la plupart sont en poste fixe et dotés d'un ou plusieurs bras qui assurent diverses tâches dans les usines. C'est le cas, notamment, de ceux qui assemblent les carrosseries chez les fabricants automobiles. Ces appareils forment le cœur de la robotique industrielle. Les véhicules ainsi construits sont moins coûteux et plus fiables que ceux assemblés par l'homme car les robots industriels sont très précis, ne perdent jamais leur précision et ne sont pas sensibles à la fatigue.

Avec son corps bourré d'ordinateurs, de moteurs et de batteries, P2 dépassait 1,80 m et atteignait 210 kg.

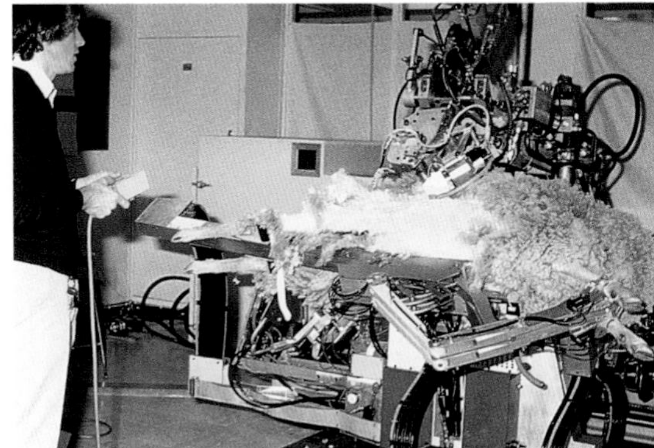

Tondus par un robot
Comme la plupart des robots utilisés dans l'industrie, le robot tondeur de moutons de l'université d'Australie occidentale est conçu pour être très souple dans sa façon de travailler. S'il a besoin d'énergie pour travailler vite, il doit également disposer d'une grande sensibilité tactile pour ne pas blesser les animaux.

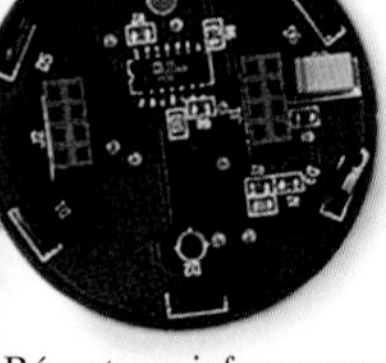

Récepteurs infrarouges

Roue postérieure

Vis et écrous

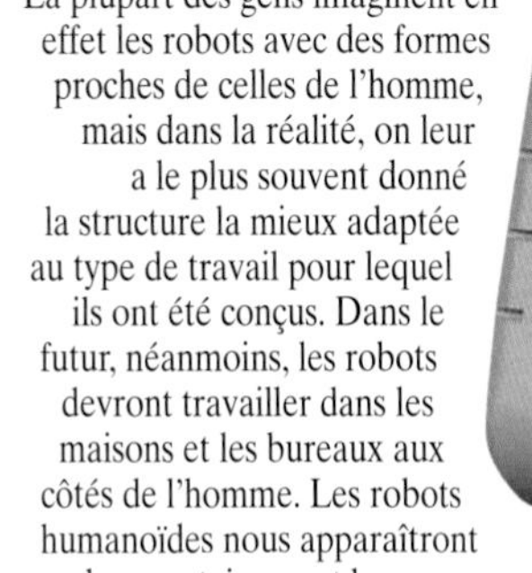

Châssis moteur

Nappe de connexion reliant la carte-mère au bloc d'alimentation

Roue postérieure

Batterie

Les robots humanoïdes
Lancé en 1996, P2 fut le premier robot humanoïde autonome. La plupart des gens imaginent en effet les robots avec des formes proches de celles de l'homme, mais dans la réalité, on leur a le plus souvent donné la structure la mieux adaptée au type de travail pour lequel ils ont été conçus. Dans le futur, néanmoins, les robots devront travailler dans les maisons et les bureaux aux côtés de l'homme. Les robots humanoïdes nous apparaîtront donc certainement beaucoup plus sympathiques.

Ses jambes puissantes et souples permettaient à P2 de marcher, pousser un chariot et monter des escaliers.

LES ROBOTS ET LA FICTION

Un lien très étroit unit robotique et imagination. La vision que nous avons des robots, en effet, est très influencée par la représentation qu'en donnent les livres et les films. Les auteurs et les réalisateurs de cinéma sont, depuis longtemps, fascinés par l'idée de machines se comportant comme des êtres humains, et ont tissé autour d'elles des mondes fantastiques. Si improbables qu'ils apparaissent, ces univers imaginaires ont néanmoins parfois inspiré des scientifiques et des ingénieurs. Leurs tentatives sont encore très loin des merveilles androïdes de science fiction. Quoi qu'il en soit, l'accent est mis aujourd'hui sur les robots humanoïdes et animaloïdes, ce qui pourrait inspirer bien d'autres fictions.

C-3PO dans *La Guerre des Etoiles*, en 1980

La coque dorée de C-3PO lui fut ajoutée par Shmi, la mère d'Anakin Skywalker. Avant cela, il allait « nu », toutes mécaniques et connexions apparentes.

Sa coque fut ajoutée pour protéger la mécanique interne de C-3PO des tempêtes de sable de la planète Tatooine.

LE ROBOT DE PROTOCOLE
C-3PO, le robot humanoïde le plus célèbre du monde, apparut pour la première fois en 1977 dans le film *La Guerre des Etoiles*. Construit à partir de rebuts sur la planète Tatooine par Anakin Skywalker lorsqu'il avait neuf ans, il a été conçu comme « droïde de protocole », afin de maintenir la paix dans les échanges entre politiciens des différentes planètes. C'est pourquoi il connaît les cultures et comprend le langage de nombreuses colonies de l'espace.

Jouet mécanique japonais représentant Robby le Robot

LES HOMMES DU FUTUR
Crag, le robot de métal, fait partie de l'équipage de *Captain Future*, héros d'une bande dessinée américaine créée en 1940 par Edmond Hamilton, et qui parut jusqu'en 1951. Elle fut adaptée en France sous le titre de *Capitaine Flam*. L'équipage du Capitaine Flam, les Hommes du Futur, comprenait également Mala, le robot humanoïde synthétique, et Simon Wright, le cerveau vivant.

COMME UNE BOÎTE AVEC DES PATTES
Dans le film de 1956, *La Planète interdite*, le capitaine Adams se pose sur une lointaine planète où il est accueilli par Robby le Robot. « Parlez-vous anglais ? lui demande Robby. Sinon, je parle 187 autres langages et leurs divers dialectes. » Avec son aspect de boîte sur pattes, Robby le Robot devint le modèle type des premiers robots jouets.

SUPERFLIC
Le personnage de Robocop est apparu pour la première fois sur les écrans en 1987, dans le film futuriste du même nom. L'histoire est celle d'un officier de police, Alex Murphy, qui, après avoir été tué par un gang de malfrats, voit son cerveau prélevé et greffé dans la tête d'un robot afin de produire *le* policier infaillible, le « flic robot » (*cop* signifie « flic », en anglais). Robocop travaille 24 heures par jour avec une implacable efficacité. Il peut enregistrer tout ce qui se produit, apportant des preuves irréfutables pour confondre les criminels.

LA CONDITION DU ROBOT
L'écrivain américain Isaac Asimov a publié en 1950 *I, Robot*, une série de nouvelles sortie en France sous le titre *Les Robots*. L'une avait pour titre *Menteur !* L'auteur y établit trois règles concernant le rôle des robots, qui sont censés protéger leurs propriétaires, les autres humains, ainsi qu'eux-mêmes autant que possible.

MISSION : EXTERMINER
La série télévisée britannique *Doctor Who* (1963–1989), mettait en scène une race de mutants, les Daleks. Ceux-ci étaient enfermés dans une sorte de conteneur mobile robotisé. Au cri métallique de « Exterminez, exterminez ! », leur mission était de conquérir la galaxie et de dominer toutes les formes de vie. Mais leurs plans étaient sans cesse déjoués par le Docteur. *Doctor Who* mettait aussi en scène un chien robot du nom de K-9 et d'impitoyables androïdes, les Cybermen. Mais c'étaient les Daleks qui faisaient la plus forte impression.

Johnny Five Alive, le robot en fuite

UN ROBOT DOUÉ DE CONSCIENCE
Le film de 1986 *Short Circuit* mettait en scène des robots comiques créés par Syd Mead. La vedette, le Robot numéro 5, appelé aussi Johnny Five Alive, est un robot militaire qui, après avoir été frappé par la foudre, acquiert une conscience semblable à celle des humains, et qui prend la fuite pour échapper à la reprogrammation.

LES ANCÊTRES DES ROBOTS

Les créatures mécaniques et les jouets que l'on remontait à l'aide d'une clé ont constitué les premières tentatives pour doter de mouvement les objets inertes. Les automates, qui firent leur apparition au XVIe siècle, étaient mus par des mécanismes similaires à ceux qu'employaient les horlogers pour actionner les marteaux frappant les cloches dans les carillons. Ces techniques furent développées, notamment au Japon et en France, pour produire des personnages animés qui ne manquaient jamais d'étonner. Mais il ne s'agissait pas de vrais robots parce qu'ils ne disposaient d'aucune intelligence, fût-elle artificielle, et l'on ne pouvait les programmer pour effectuer différentes tâches.

VOL ARTIFICIEL
Le premier automate connu était une colombe en bois capable de voler construite vers 400 av. J.-C. dans la Grèce antique par un philosophe et mathématicien du nom d'Archytas de Tarente. L'oiseau volait en rond sur un bras mu par la vapeur ou par l'air. On pense qu'Archytas l'avait construit pour étudier les mathématiques des machines.

VAUCANSON, né en 17 créa les tomates en 1738, meurt en 1782.

UN MUSICIEN MÉCANIQU
Le Joueur de flûte, construit en 1783 par l'ingénieur franç Jacques de Vaucanson, fut l'un des automates les plus célèbr du XVIIIe siècle. Ses doigts en bois et ses poumons artificie étaient animés par un ingénieux mécanisme permettant de jou douze notes différentes sur une vraie flûte. L'automate fonctionn si bien que certaines personnes crurent qu'il devait y avo un véritable flûtiste caché à l'intérieu

Des ouvertures au sommet des tuyaux d'orgue permettent à l'air de s'échapper.

En tournant la manivelle, on actionne le soufflet qui envoie de l'air dans les tuyaux d'orgue.

LE TIGRE DE TIPPOO
Ce tigre en bois dissimule un mécanisme élaboré. Il fut construit vers 1795 pour le sultan indien Tippoo Sahib, adversaire acharné des Anglais, surnommé le Tigre de Mysore. Le mécanisme se met en marche lorsque l'on tourne la manivelle située sur l'épaule de l'animal. Ce dernier se met à rugir tandis que le soldat britannique qu'il saisit à la gorge crie et remue faiblement le bras. Les sons sont produits par un système d'orgues situé dans le corps du tigre.

L'air pompé par un soufflet est expulsé en produisant le rugissement du tigre et le cri de l'homme.

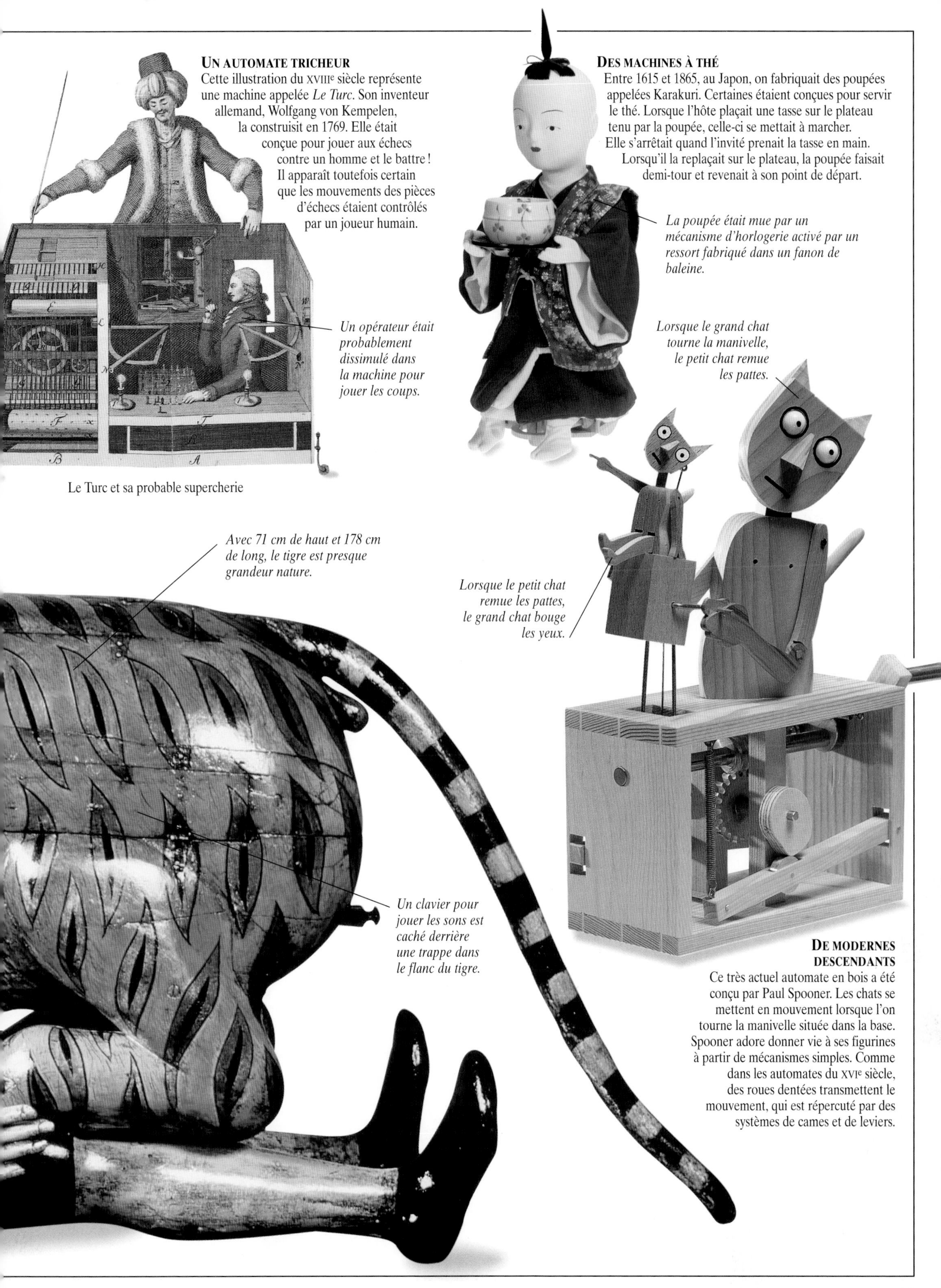

UN AUTOMATE TRICHEUR

Cette illustration du XVIIIe siècle représente une machine appelée *Le Turc*. Son inventeur allemand, Wolfgang von Kempelen, la construisit en 1769. Elle était conçue pour jouer aux échecs contre un homme et le battre ! Il apparaît toutefois certain que les mouvements des pièces d'échecs étaient contrôlés par un joueur humain.

Un opérateur était probablement dissimulé dans la machine pour jouer les coups.

Le Turc et sa probable supercherie

DES MACHINES À THÉ

Entre 1615 et 1865, au Japon, on fabriquait des poupées appelées Karakuri. Certaines étaient conçues pour servir le thé. Lorsque l'hôte plaçait une tasse sur le plateau tenu par la poupée, celle-ci se mettait à marcher. Elle s'arrêtait quand l'invité prenait la tasse en main. Lorsqu'il la replaçait sur le plateau, la poupée faisait demi-tour et revenait à son point de départ.

La poupée était mue par un mécanisme d'horlogerie activé par un ressort fabriqué dans un fanon de baleine.

Lorsque le grand chat tourne la manivelle, le petit chat remue les pattes.

Lorsque le petit chat remue les pattes, le grand chat bouge les yeux.

Avec 71 cm de haut et 178 cm de long, le tigre est presque grandeur nature.

Un clavier pour jouer les sons est caché derrière une trappe dans le flanc du tigre.

DE MODERNES DESCENDANTS

Ce très actuel automate en bois a été conçu par Paul Spooner. Les chats se mettent en mouvement lorsque l'on tourne la manivelle située dans la base. Spooner adore donner vie à ses figurines à partir de mécanismes simples. Comme dans les automates du XVIe siècle, des roues dentées transmettent le mouvement, qui est répercuté par des systèmes de cames et de leviers.

LES DÉBUTS DE LA ROBOTIQUE MOBILE

Au XXe siècle, le développement rapide des technologies liées à l'électricité permit aux ingénieurs de concevoir des machines plus sophistiquées. Celles-ci étaient toutefois bridées par leur capacité limitée à traiter l'information. Il ne s'agissait pas encore de vrais robots, mais le progrès était en marche et ces réalisations donnaient le ton des évolutions à venir. Avec l'essor très rapide de l'électronique, les circuits relativement simples des appareils pionniers devinrent peu à peu des systèmes complexes contrôlés par ordinateur. Ils permirent l'apparition de robots dotés d'une intelligence artificielle suffisante pour être capables de se déplacer seuls dans leur environnement.

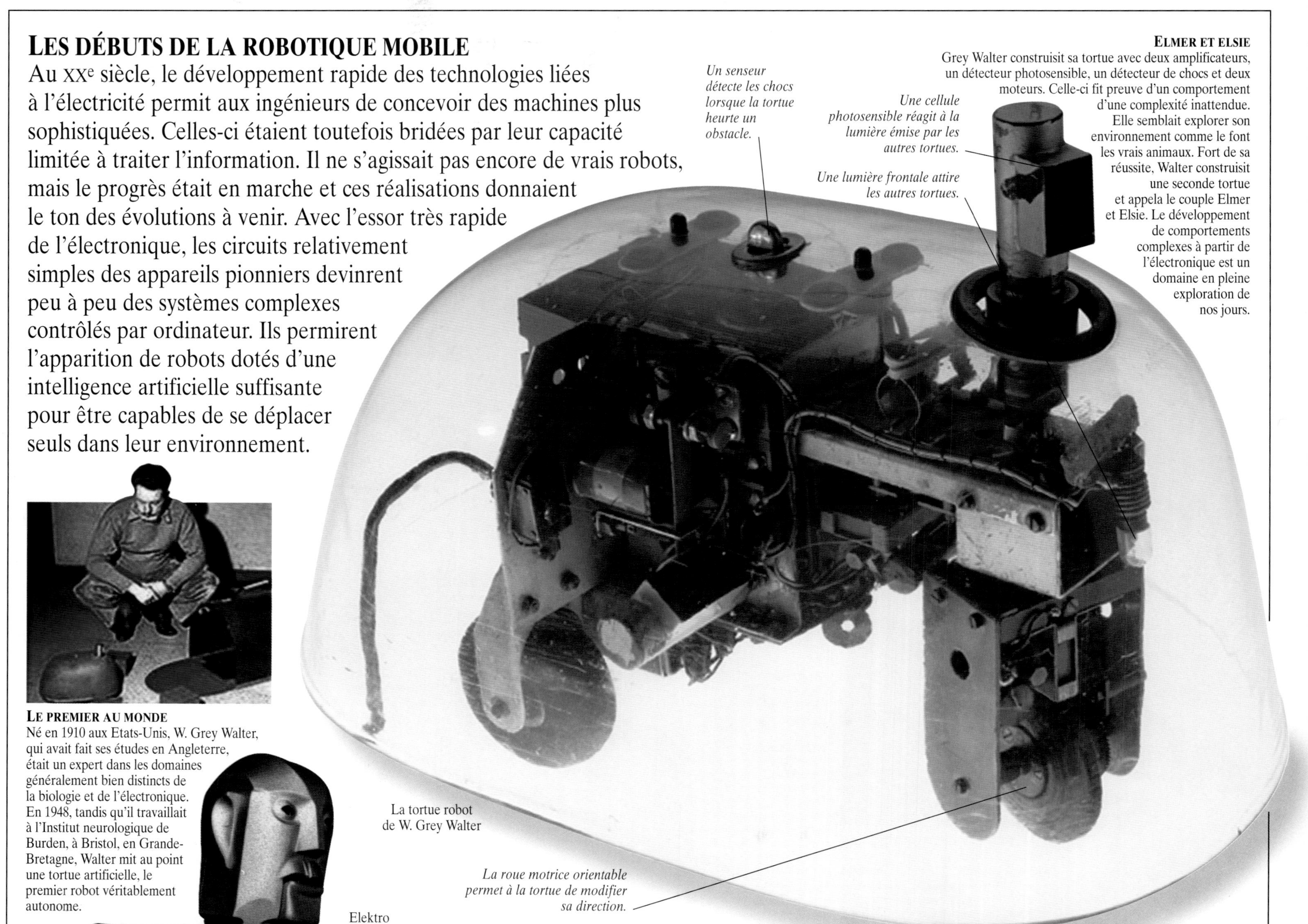

LE PREMIER AU MONDE
Né en 1910 aux Etats-Unis, W. Grey Walter, qui avait fait ses études en Angleterre, était un expert dans les domaines généralement bien distincts de la biologie et de l'électronique. En 1948, tandis qu'il travaillait à l'Institut neurologique de Burden, à Bristol, en Grande-Bretagne, Walter mit au point une tortue artificielle, le premier robot véritablement autonome.

Elektro

La tortue robot de W. Grey Walter

Un senseur détecte les chocs lorsque la tortue heurte un obstacle.

Une cellule photosensible réagit à la lumière émise par les autres tortues.

Une lumière frontale attire les autres tortues.

La roue motrice orientable permet à la tortue de modifier sa direction.

ELMER ET ELSIE
Grey Walter construisit sa tortue avec deux amplificateurs, un détecteur photosensible, un détecteur de chocs et deux moteurs. Celle-ci fit preuve d'un comportement d'une complexité inattendue. Elle semblait explorer son environnement comme le font les vrais animaux. Fort de sa réussite, Walter construisit une seconde tortue et appela le couple Elmer et Elsie. Le développement de comportements complexes à partir de l'électronique est un domaine en pleine exploration de nos jours.

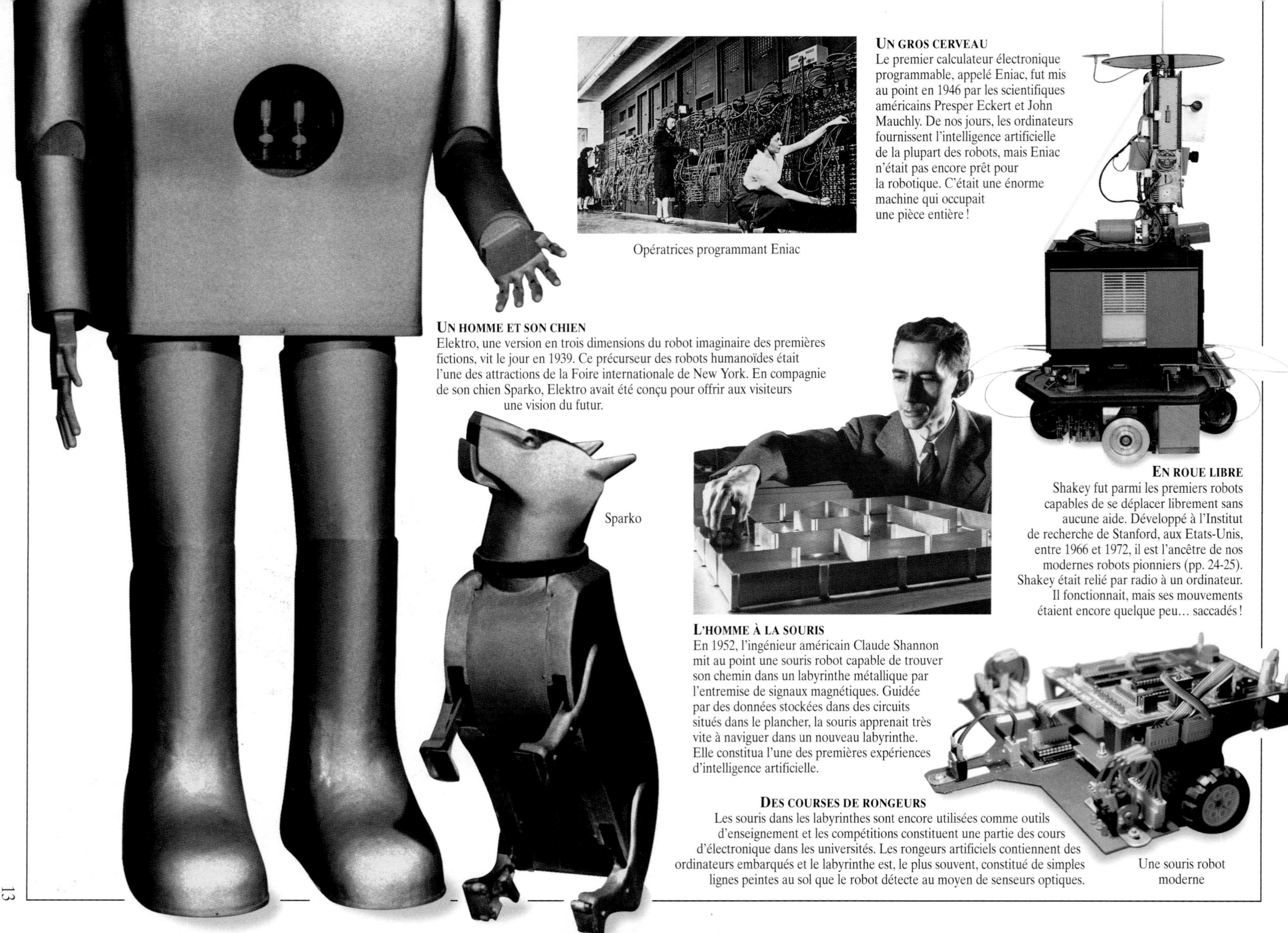

Opératrices programmant Eniac

UN GROS CERVEAU
Le premier calculateur électronique programmable, appelé Eniac, fut mis au point en 1946 par les scientifiques américains Presper Eckert et John Mauchly. De nos jours, les ordinateurs fournissent l'intelligence artificielle de la plupart des robots, mais Eniac n'était pas encore prêt pour la robotique. C'était une énorme machine qui occupait une pièce entière !

UN HOMME ET SON CHIEN
Elektro, une version en trois dimensions du robot imaginaire des premières fictions, vit le jour en 1939. Ce précurseur des robots humanoïdes était l'une des attractions de la Foire internationale de New York. En compagnie de son chien Sparko, Elektro avait été conçu pour offrir aux visiteurs une vision du futur.

Sparko

EN ROUE LIBRE
Shakey fut parmi les premiers robots capables de se déplacer librement sans aucune aide. Développé à l'Institut de recherche de Stanford, aux Etats-Unis, entre 1966 et 1972, il est l'ancêtre de nos modernes robots pionniers (pp. 24-25). Shakey était relié par radio à un ordinateur. Il fonctionnait, mais ses mouvements étaient encore quelque peu… saccadés !

L'HOMME À LA SOURIS
En 1952, l'ingénieur américain Claude Shannon mit au point une souris robot capable de trouver son chemin dans un labyrinthe métallique par l'entremise de signaux magnétiques. Guidée par des données stockées dans des circuits situés dans le plancher, la souris apprenait très vite à naviguer dans un nouveau labyrinthe. Elle constitua l'une des premières expériences d'intelligence artificielle.

DES COURSES DE RONGEURS
Les souris dans les labyrinthes sont encore utilisées comme outils d'enseignement et les compétitions constituent une partie des cours d'électronique dans les universités. Les rongeurs artificiels contiennent des ordinateurs embarqués et le labyrinthe est, le plus souvent, constitué de simples lignes peintes au sol que le robot détecte au moyen de senseurs optiques.

Une souris robot moderne

LES ROBOTS EN MOUVEMENT

Dès que l'on veut faire exécuter par des robots des tâches habituellement dévolues à l'homme, se pose le problème de leur mode de locomotion. Les véhicules à roues ne peuvent pas aller partout ; même les « tout terrain » sont incapables d'escalader les montagnes ou de monter des escaliers. Seuls certains animaux et l'homme ont accès à n'importe quel endroit de la planète, ou presque. C'est pourquoi les roboticiens travaillent sur des systèmes de locomotion à pattes ou rampants. Les moteurs qui entraînent les pattes sont très variés, et certains essaient d'imiter les muscles des organismes vivants. Ils utilisent des techniques pneumatiques ou hydrauliques, voire d'autres technologies.

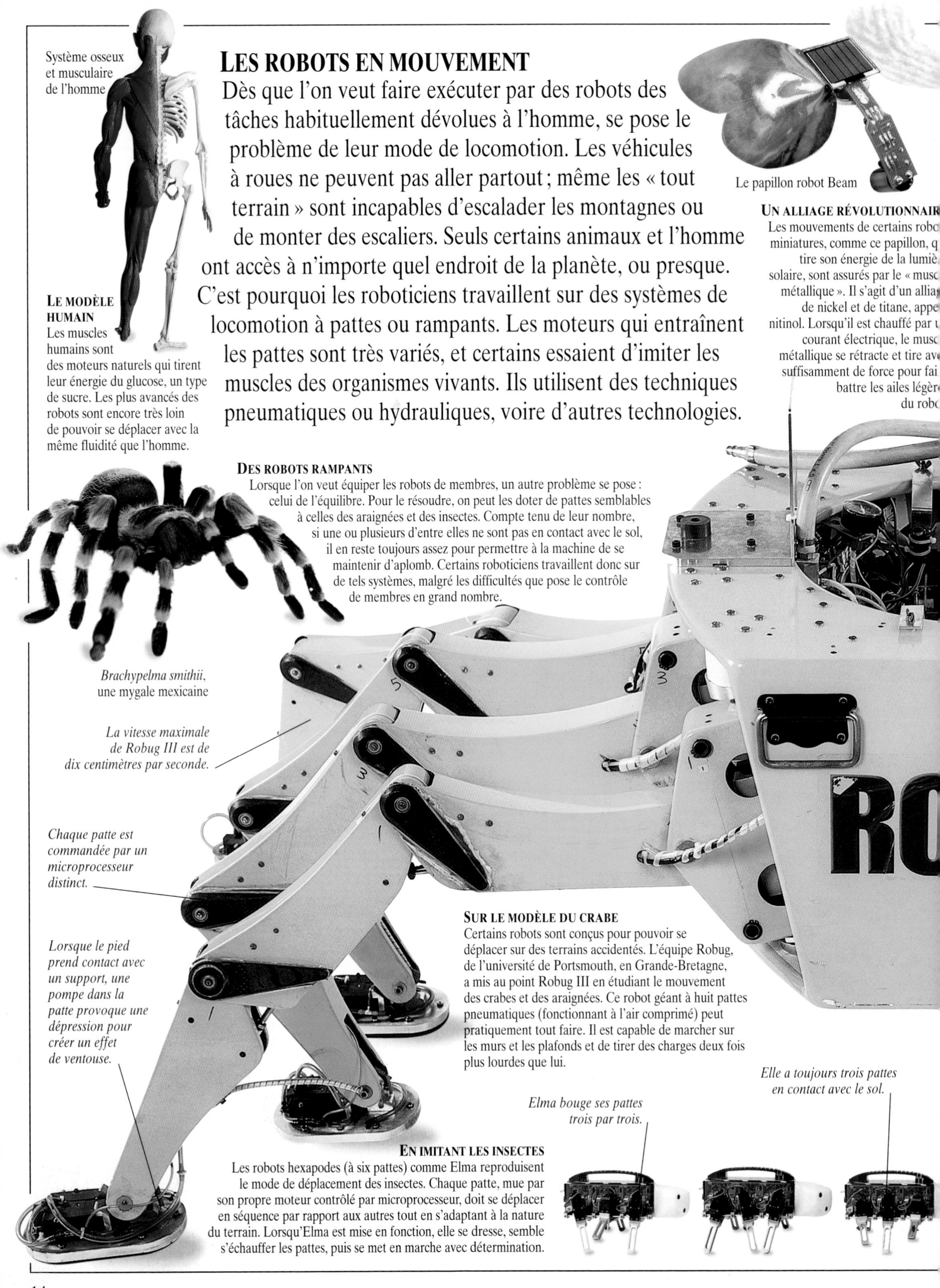

Système osseux et musculaire de l'homme

LE MODÈLE HUMAIN
Les muscles humains sont des moteurs naturels qui tirent leur énergie du glucose, un type de sucre. Les plus avancés des robots sont encore très loin de pouvoir se déplacer avec la même fluidité que l'homme.

Le papillon robot Beam

UN ALLIAGE RÉVOLUTIONNAIR
Les mouvements de certains robo miniatures, comme ce papillon, q tire son énergie de la lumiè solaire, sont assurés par le « musc métallique ». Il s'agit d'un allia de nickel et de titane, appe nitinol. Lorsqu'il est chauffé par u courant électrique, le musc métallique se rétracte et tire av suffisamment de force pour fai battre les ailes légèr du robo

DES ROBOTS RAMPANTS
Lorsque l'on veut équiper les robots de membres, un autre problème se pose : celui de l'équilibre. Pour le résoudre, on peut les doter de pattes semblables à celles des araignées et des insectes. Compte tenu de leur nombre, si une ou plusieurs d'entre elles ne sont pas en contact avec le sol, il en reste toujours assez pour permettre à la machine de se maintenir d'aplomb. Certains roboticiens travaillent donc sur de tels systèmes, malgré les difficultés que pose le contrôle de membres en grand nombre.

Brachypelma smithii, une mygale mexicaine

La vitesse maximale de Robug III est de dix centimètres par seconde.

Chaque patte est commandée par un microprocesseur distinct.

Lorsque le pied prend contact avec un support, une pompe dans la patte provoque une dépression pour créer un effet de ventouse.

SUR LE MODÈLE DU CRABE
Certains robots sont conçus pour pouvoir se déplacer sur des terrains accidentés. L'équipe Robug, de l'université de Portsmouth, en Grande-Bretagne, a mis au point Robug III en étudiant le mouvement des crabes et des araignées. Ce robot géant à huit pattes pneumatiques (fonctionnant à l'air comprimé) peut pratiquement tout faire. Il est capable de marcher sur les murs et les plafonds et de tirer des charges deux fois plus lourdes que lui.

Elma bouge ses pattes trois par trois.

Elle a toujours trois pattes en contact avec le sol.

EN IMITANT LES INSECTES
Les robots hexapodes (à six pattes) comme Elma reproduisent le mode de déplacement des insectes. Chaque patte, mue par son propre moteur contrôlé par microprocesseur, doit se déplacer en séquence par rapport aux autres tout en s'adaptant à la nature du terrain. Lorsqu'Elma est mise en fonction, elle se dresse, semble s'échauffer les pattes, puis se met en marche avec détermination.

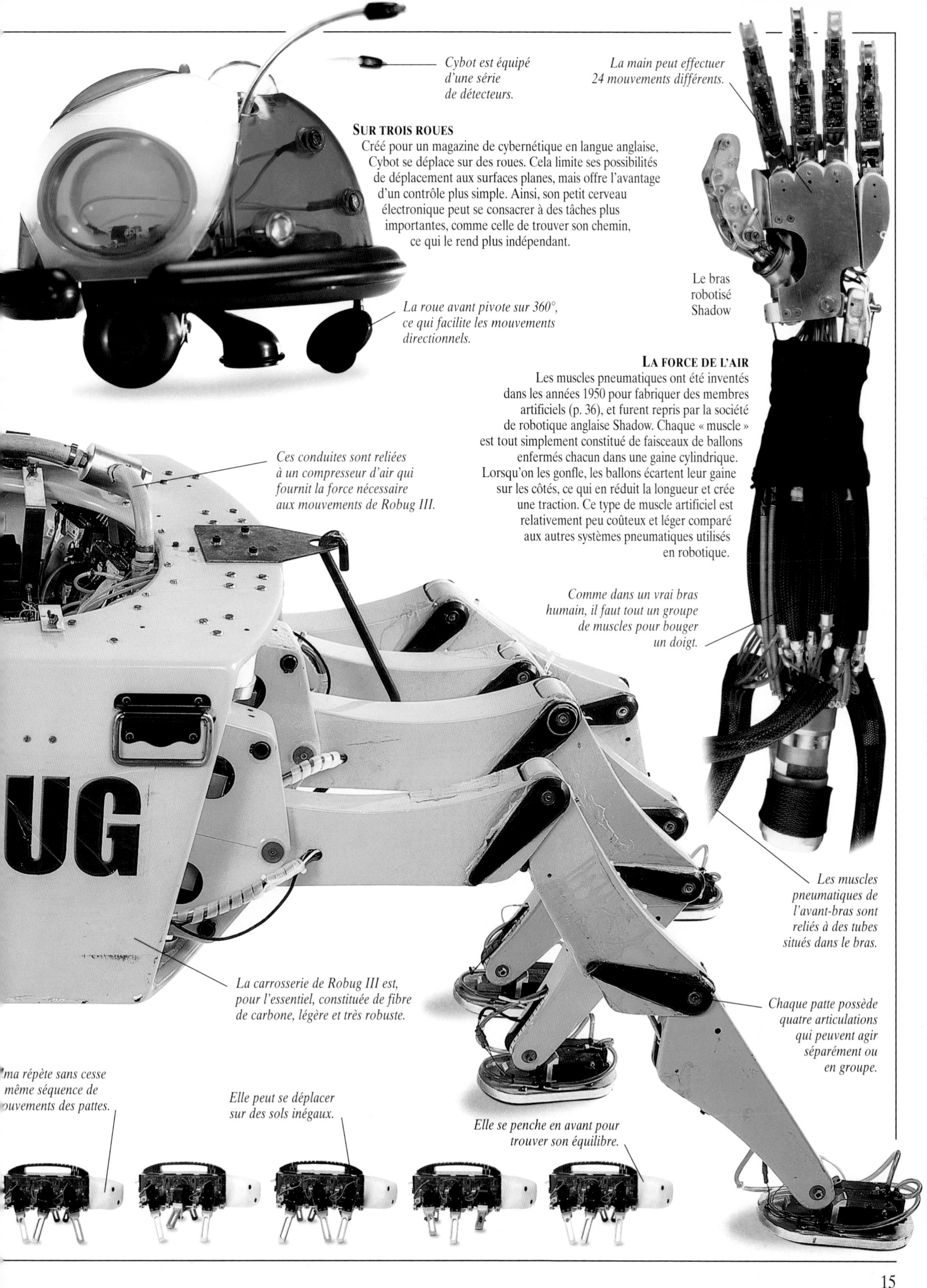

Cybot est équipé d'une série de détecteurs.

La main peut effectuer 24 mouvements différents.

SUR TROIS ROUES

Créé pour un magazine de cybernétique en langue anglaise, Cybot se déplace sur des roues. Cela limite ses possibilités de déplacement aux surfaces planes, mais offre l'avantage d'un contrôle plus simple. Ainsi, son petit cerveau électronique peut se consacrer à des tâches plus importantes, comme celle de trouver son chemin, ce qui le rend plus indépendant.

Le bras robotisé Shadow

La roue avant pivote sur 360°, ce qui facilite les mouvements directionnels.

LA FORCE DE L'AIR

Les muscles pneumatiques ont été inventés dans les années 1950 pour fabriquer des membres artificiels (p. 36), et furent repris par la société de robotique anglaise Shadow. Chaque « muscle » est tout simplement constitué de faisceaux de ballons enfermés chacun dans une gaine cylindrique. Lorsqu'on les gonfle, les ballons écartent leur gaine sur les côtés, ce qui en réduit la longueur et crée une traction. Ce type de muscle artificiel est relativement peu coûteux et léger comparé aux autres systèmes pneumatiques utilisés en robotique.

Ces conduites sont reliées à un compresseur d'air qui fournit la force nécessaire aux mouvements de Robug III.

Comme dans un vrai bras humain, il faut tout un groupe de muscles pour bouger un doigt.

Les muscles pneumatiques de l'avant-bras sont reliés à des tubes situés dans le bras.

La carrosserie de Robug III est, pour l'essentiel, constituée de fibre de carbone, légère et très robuste.

Chaque patte possède quatre articulations qui peuvent agir séparément ou en groupe.

ma répète sans cesse même séquence de ouvements des pattes.

Elle peut se déplacer sur des sols inégaux.

Elle se penche en avant pour trouver son équilibre.

Les sens artificiels des robots

Pour pouvoir se débrouiller dans leur environnement, les robots ont besoin de voir, d'entendre, de sentir un objet lorsqu'ils le touchent, et de savoir à n'importe quel moment où ils se trouvent. Mais donner à un robot la capacité de comprendre le monde matériel qui l'entoure est l'un des défis les plus complexes de la robotique moderne. Bien sûr, il existe déjà des machines capables de réagir au toucher, aux sons et aux odeurs, d'éviter les obstacles, et même d'utiliser des sens tels que le sonar, dont ne disposent pas les humains. Mais un robot qui pourrait se servir de tous ces sens aussi pleinement et avec la même fiabilité qu'un homme est encore du domaine du rêve.

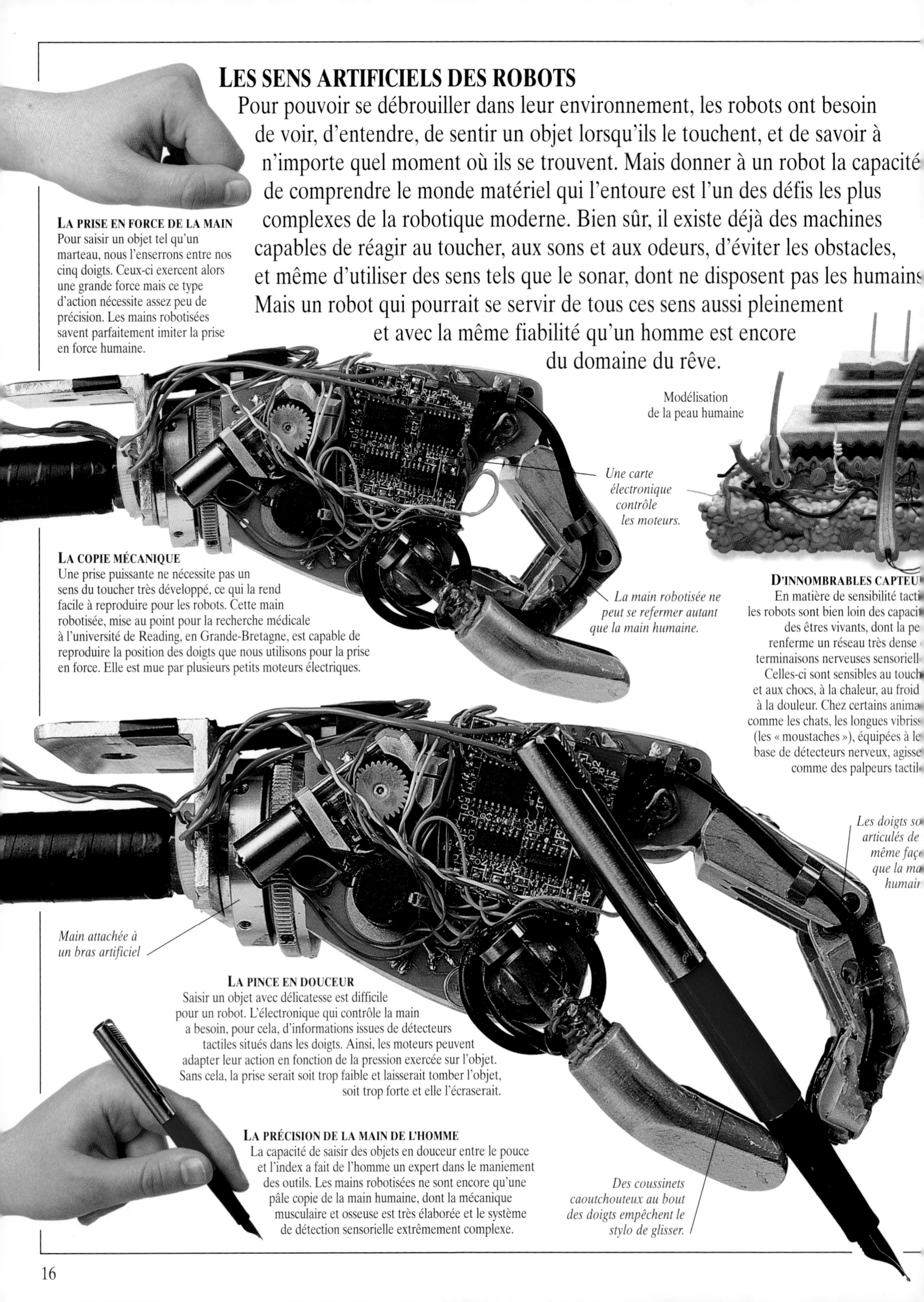

La prise en force de la main
Pour saisir un objet tel qu'un marteau, nous l'enserrons entre nos cinq doigts. Ceux-ci exercent alors une grande force mais ce type d'action nécessite assez peu de précision. Les mains robotisées savent parfaitement imiter la prise en force humaine.

Modélisation de la peau humaine

Une carte électronique contrôle les moteurs.

La copie mécanique
Une prise puissante ne nécessite pas un sens du toucher très développé, ce qui la rend facile à reproduire pour les robots. Cette main robotisée, mise au point pour la recherche médicale à l'université de Reading, en Grande-Bretagne, est capable de reproduire la position des doigts que nous utilisons pour la prise en force. Elle est mue par plusieurs petits moteurs électriques.

La main robotisée ne peut se refermer autant que la main humaine.

D'innombrables capteu
En matière de sensibilité tacti les robots sont bien loin des capaci des êtres vivants, dont la pe renferme un réseau très dense terminaisons nerveuses sensoriell Celles-ci sont sensibles au touch et aux chocs, à la chaleur, au froid à la douleur. Chez certains anima comme les chats, les longues vibriss (les « moustaches »), équipées à le base de détecteurs nerveux, agisse comme des palpeurs tactil

Les doigts so articulés de même faç que la ma humair

Main attachée à un bras artificiel

La pince en douceur
Saisir un objet avec délicatesse est difficile pour un robot. L'électronique qui contrôle la main a besoin, pour cela, d'informations issues de détecteurs tactiles situés dans les doigts. Ainsi, les moteurs peuvent adapter leur action en fonction de la pression exercée sur l'objet. Sans cela, la prise serait soit trop faible et laisserait tomber l'objet, soit trop forte et elle l'écraserait.

La précision de la main de l'homme
La capacité de saisir des objets en douceur entre le pouce et l'index a fait de l'homme un expert dans le maniement des outils. Les mains robotisées ne sont encore qu'une pâle copie de la main humaine, dont la mécanique musculaire et osseuse est très élaborée et le système de détection sensorielle extrêmement complexe.

Des coussinets caoutchouteux au bout des doigts empêchent le stylo de glisser.

Le pare-chocs en caoutchouc renferme des détecteurs de choc.

Les impulsions de lumière infrarouge émises par les DEL sont détectées par les autres robots du groupe.

VOLUER EN GROUPE

ɜs robots interactifs qui se déplacent en groupe ont besoin ꞉ plusieurs sens. L'un des plus élémentaires, le toucher, ɜut être fourni par un pare-chocs. Si le robot heurte ıelque chose, un contact électrique se ferme dans pare-chocs qui envoie ainsi un signal à l'ordinateur central, quel réagit en conséquence. Le robot, alors, recule un peu, odifie sa direction et poursuit sa route. Les groupes ꞉ robots communiquent grâce à la lumière infrarouge. ɜs diodes électroluminescentes (DEL) émettent ɜs trains de signaux infrarouges qui informent chaque bot de la proximité de ses congénères.

DE PRÈS OU DE LOIN

Ce policier utilise un radar pour détecter la vitesse des automobiles qui viennent vers lui. Certains robots utilisent une technologie similaire pour estimer la distance qui les sépare des murs et autres obstacles. Ils émettent des ondes sonores dont l'écho, lorsqu'elles rebondissent sur les objets, leur indique la distance et la vitesse d'approche.

UN ROBOT HISTORIQUE

Construit en 1973 à l'université de Waseda, au Japon, Wabot-1 fut le premier robot au monde équipé de sens semblables à ceux de l'homme. Il avait des oreilles et des yeux artificiels, et ses mains étaient dotées du sens du toucher. Wabot-1 pouvait marcher et tenir une conversation en japonais par l'entremise d'un synthétiseur vocal. Ses concepteurs affirmèrent qu'il avait les capacités mentales d'un enfant de 18 mois.

Les DEL forment un cercle afin d'émettre leurs signaux dans toutes les directions.

Ce système de DEL assemblé est prêt à être installé.

À LA VITESSE DE LA LUMIÈRE

La photo ci-dessus présente deux cartes électroniques circulaires et un système de DEL assemblé, du type de ceux qui équipent les groupes de robots interactifs. Les DEL, disposées en rond au sommet du robot, lui permettent de communiquer dans l'infrarouge dans toutes les directions.

ES YEUX DE SUBSTITUTION

ɜs chiens d'aveugles guident leur aître en se servant de leur propre ɪe. La canne guide, inventée ır Johann Borenstein à ıniversité du Michigan, ıx Etats-Unis, détectait ıant à elle les objets à ıide de trains d'ultrasons, audibles pour l'oreille ımaine. Lorsqu'elle pérait un obstacle, le dirigeait son ropriétaire de façon l'éviter.

Trois robots interactifs créés pour le musée des Sciences de Londres, en Grande-Bretagne

À LA RECHERCHE DE L'INTELLIGENCE ARTIFICIELLE

Les roboticiens cherchent à doter leurs robots d'intelligence artificielle. Ils ont déjà connu quelques succès dans certains domaines spécialisés : il existe, par exemple, aujourd'hui des ordinateurs pour aider les médecin à diagnostiquer certaines maladies. Mais créer une machine vraiment intelligente qui, comme l'homme, saurait résoudre des problèmes à partir d'informations incomplètes et adapter son comportement à des situations nouvelles est une autre affaire. Quant à savoir même si c'est possible et comment y parvenir, les spécialistes ne sont pas tous d'accord. Jusqu'à présent, les gros programmes informatiques complexes n'ont pas réussi à fournir aux robots des cerveaux efficaces. La solution réside peut-être dans des programmes plus petits et plus simples mais plus nombreux travaillant de concert.

LA PUISSANCE DU CERVEAU
L'encéphale humain possède cent milliards de cellules nerveuses. Celles-ci fonctionnent en combinant les informations venant du monde extérieur avec celles conservées en mémoire, afin de produire les actions qui permettront à l'être humain de survivre. Dans le monde vivant, d'autres cerveaux animaux savent en faire autant, mais seul l'homme est capable de maîtriser des tâches aussi complexes que l'écriture et la parole. Les cerveaux électroniques des robots d'aujourd'hui sont du niveau de ceux d'animaux très simples.

UNE INTELLIGENCE FANTASTIQU
Cette scène tirée du film *A.I.*, de Steven Spielberg, montre Davi un enfant robot. Il est programmé pour former un lien d'amo filial indestructible avec sa mère humaine. Lorsque, subitemer il est abandonné, David commence une quête pour dever un véritable enfant. Des comportements intelligents de ce ty sont encore très loin des possibilités des robots actue

Garry Kasparov réfléchissant à son prochain coup

Deep Blue affiche sa réponse sur un écran.

LE CHAMPION RÉSIGNÉ
Le 11 mai 1997, Deep Blue, un programme informatique conçu pour jouer aux échecs, est parvenu à contraindre le champion du monde d'échecs Garry Kasparov à abandonner la partie. C'était la première fois qu'un champion en titre perdait devant un ordinateur dans des conditions de tournoi. Mais si Deep Blue a bel et bien réussi à battre un humain dans une compétition faisant appel à l'intellect, il serait bien incapable de répondre à la simple question : « Aimes-tu jouer aux échecs ? »

UNE CUISINE HIGH TECH
Les créateurs cherchent aujourd'hui à rendre les appareils domestiques un peu plus « intelligents ». Des détecteurs et des calculateurs insérés dans des objets d'utilisation courante leur permettent d'adapter leur fonctionnement à diverses situations. Ainsi, ce réfrigérateur doté d'un écran d'ordinateur permet d'accéder à Internet depuis la cuisine mais peut aussi aider son possesseur en lui suggérant des idées de repas à partir des aliments qu'il renferme.

« Il est possible que notre cerveau soit trop complexe pour être compris par quelque chose d'aussi simple que notre cerveau. »

AARON SLOMAN

Professeur en intelligence artificielle à l'université de Birmingham, en Grande-Bretagne

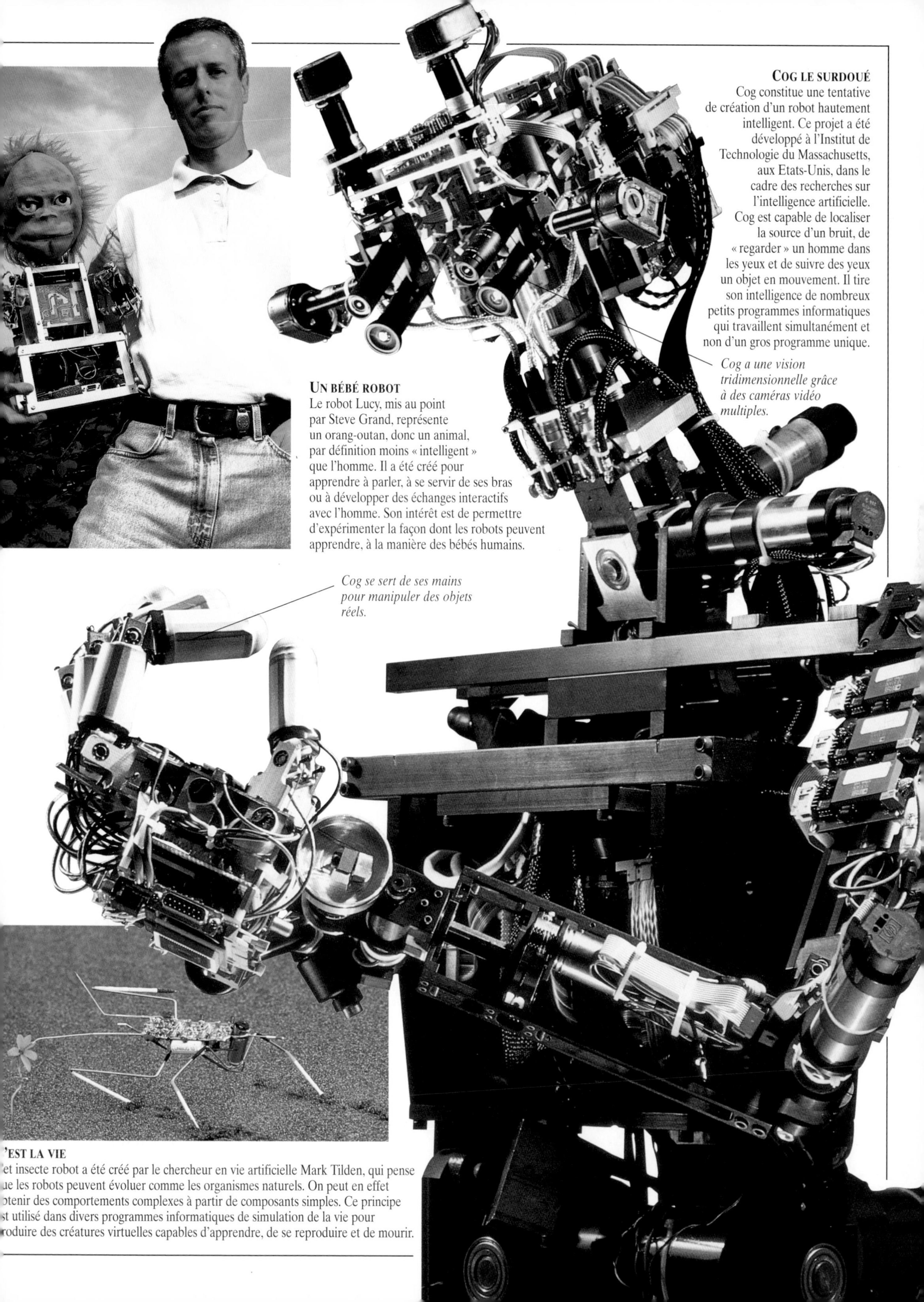

COG LE SURDOUÉ
Cog constitue une tentative de création d'un robot hautement intelligent. Ce projet a été développé à l'Institut de Technologie du Massachusetts, aux Etats-Unis, dans le cadre des recherches sur l'intelligence artificielle. Cog est capable de localiser la source d'un bruit, de « regarder » un homme dans les yeux et de suivre des yeux un objet en mouvement. Il tire son intelligence de nombreux petits programmes informatiques qui travaillent simultanément et non d'un gros programme unique.

Cog a une vision tridimensionnelle grâce à des caméras vidéo multiples.

UN BÉBÉ ROBOT
Le robot Lucy, mis au point par Steve Grand, représente un orang-outan, donc un animal, par définition moins « intelligent » que l'homme. Il a été créé pour apprendre à parler, à se servir de ses bras ou à développer des échanges interactifs avec l'homme. Son intérêt est de permettre d'expérimenter la façon dont les robots peuvent apprendre, à la manière des bébés humains.

Cog se sert de ses mains pour manipuler des objets réels.

'EST LA VIE
'et insecte robot a été créé par le chercheur en vie artificielle Mark Tilden, qui pense ue les robots peuvent évoluer comme les organismes naturels. On peut en effet ›tenir des comportements complexes à partir de composants simples. Ce principe st utilisé dans divers programmes informatiques de simulation de la vie pour roduire des créatures virtuelles capables d'apprendre, de se reproduire et de mourir.

LES ROBOTS DANS L'INDUSTRIE

Infatigables, efficaces mais sans intelligence et dépourvus d'états d'âme, les robots sont de parfaits exécutants pour les tâches dangereuses, répétitives et pénibles. Les premiers robots industriels étaient destinés à alimenter en pièces des machines isolées. Aujourd'hui, ces mêmes robots et les machines qu'ils alimentent travaillent de manière coordonnée, et l'ensemble constitue un véritable appareil de production presque entièrement automatisé. On rencontre ces systèmes dans de nombreux domaines : assemblage automobile, fabrication de médicaments, semis et entretien de jeunes plantes, etc. Ils ont, à l'évidence, énormément amélioré la productivité et la rentabilité des entreprises. Néanmoins la présence de l'homme reste nécessaire pour la surveillance, l'entretien et l'intervention en cas de pannes.

DES ROBOTS RURAUX
Cette scène imaginaire présente des robots à vapeur en train de cultiver la terre. Au XIXe siècle, tandis que la révolution industrielle commençait à détourner la main-d'œuvre des campagnes au profit des usines, les inventeurs se prirent à imaginer la mécanisation du travail agricole. Plus d'un siècle après, nos fermes modernes sont hautement mécanisées, mais elles utilisent encore des machines conduites par l'homme et non des robots.

Les câbles apportent l'énergie pneumatique et électrique.

DES TRAVAILLEURS INFAILLIBLES
Les automobiles assemblées par des robots sont beaucoup plus sûres parce que ces machines effectuent toujours parfaitement les milliers de soudures nécessaires à leur construction. Nos voitures modernes sont construites sur des chaînes d'assemblage, bordées de rangées de robots qui manipulent des pistolets à souder au milieu de gerbes d'étincelles. Ces robots étant dépourvus de vision, les automobiles et les appareils à souder doivent être positionnés avec une très grande précision afin que les soudures soient effectuées toujours au bon endroit.

Robot à souder industriel

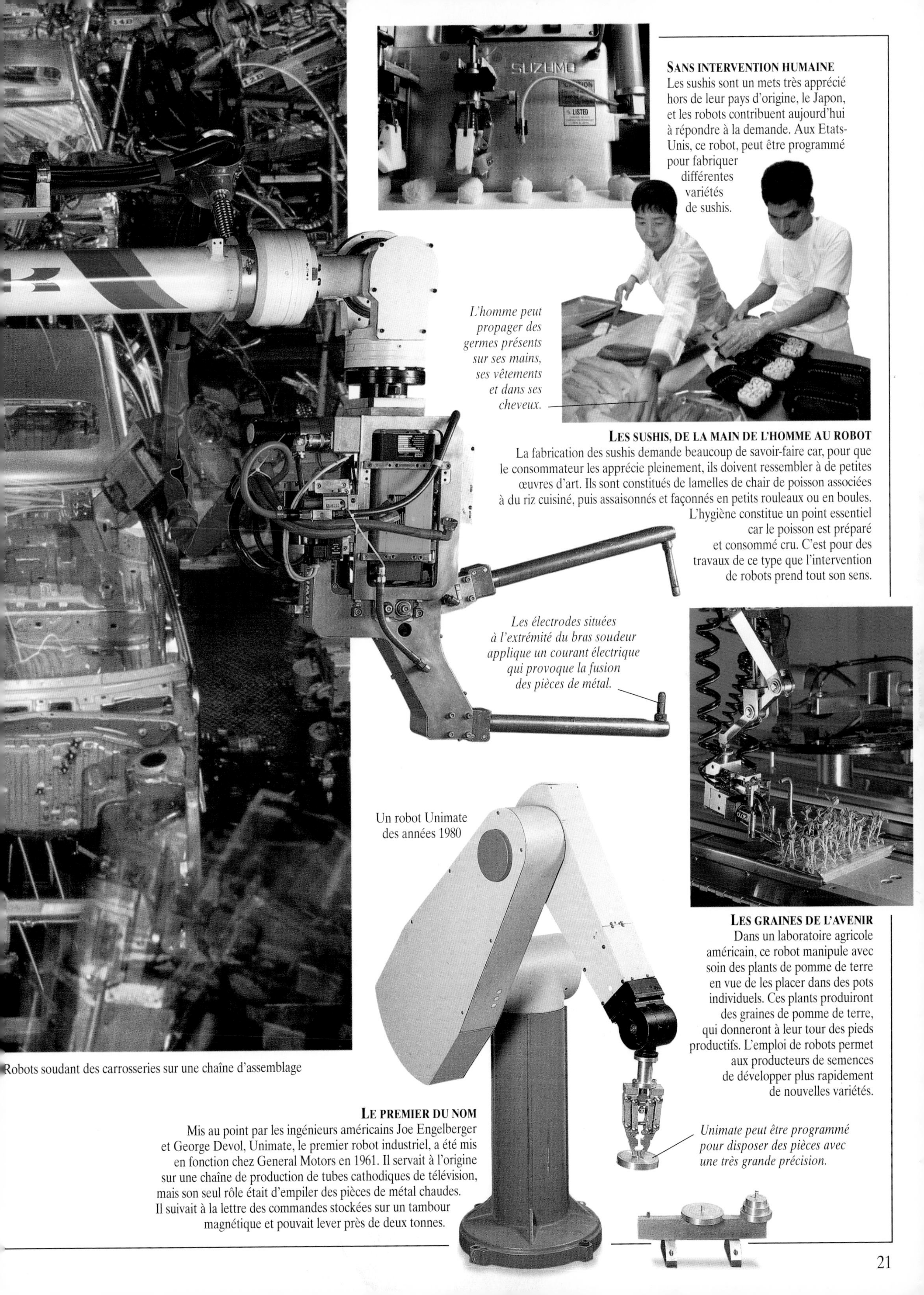

Sans intervention humaine
Les sushis sont un mets très apprécié hors de leur pays d'origine, le Japon, et les robots contribuent aujourd'hui à répondre à la demande. Aux Etats-Unis, ce robot, peut être programmé pour fabriquer différentes variétés de sushis.

L'homme peut propager des germes présents sur ses mains, ses vêtements et dans ses cheveux.

Les sushis, de la main de l'homme au robot
La fabrication des sushis demande beaucoup de savoir-faire car, pour que le consommateur les apprécie pleinement, ils doivent ressembler à de petites œuvres d'art. Ils sont constitués de lamelles de chair de poisson associées à du riz cuisiné, puis assaisonnés et façonnés en petits rouleaux ou en boules. L'hygiène constitue un point essentiel car le poisson est préparé et consommé cru. C'est pour des travaux de ce type que l'intervention de robots prend tout son sens.

Les électrodes situées à l'extrémité du bras soudeur applique un courant électrique qui provoque la fusion des pièces de métal.

Robots soudant des carrosseries sur une chaîne d'assemblage

Les graines de l'avenir
Dans un laboratoire agricole américain, ce robot manipule avec soin des plants de pomme de terre en vue de les placer dans des pots individuels. Ces plants produiront des graines de pomme de terre, qui donneront à leur tour des pieds productifs. L'emploi de robots permet aux producteurs de semences de développer plus rapidement de nouvelles variétés.

Un robot Unimate des années 1980

Unimate peut être programmé pour disposer des pièces avec une très grande précision.

Le premier du nom
Mis au point par les ingénieurs américains Joe Engelberger et George Devol, Unimate, le premier robot industriel, a été mis en fonction chez General Motors en 1961. Il servait à l'origine sur une chaîne de production de tubes cathodiques de télévision, mais son seul rôle était d'empiler des pièces de métal chaudes. Il suivait à la lettre des commandes stockées sur un tambour magnétique et pouvait lever près de deux tonnes.

LE CONTRÔLE À DISTANCE

Les robots mobiles sont plongés dans un environnement qui varie à chaque instant à cause de leurs déplacements. Pour exécuter les tâches qu'on leur demande, ils doivent comprendre cet environnement, ce qu'ils ne peuvent généralement pas faire tout seuls car ils ne sont pas encore assez intelligents, ne sachant pas prendre les bonnes décisions. Aussi, on laisse l'homme les piloter à distance par une méthode de télécommande appelée téléopération. Cette méthode est utilisée dans les milieux dangereux comme on en rencontre dans l'industrie nucléaire, sous la mer, dans l'espace ou sur les planètes, ou encore pour des actions de police ou dans certaines interventions médicales.

DES CAPACITÉS LIMITÉES
Omnibot 2000, lancé en 1980 par le fabricant de jouets Tomy, fut l'un des premiers robots domestiques. Son intelligence était très réduite, de sorte que son possesseur devait utiliser une commande à distance pour lui faire effectuer le peu de choses dont il était capable : lancer de la lumière avec ses yeux, se déplacer en roulant, ouvrir et fermer une main.

Le disrupteur projette des jets d'eau sur la bombe pour la désarmer.

La caméra équipant le bras produit des vues rapprochées.

Une arme à feu fixée au bras peut servir à pénétrer dans des bâtiments en tirant dans les portes

L'INTERVENTION À DISTANCE

Le véhicule contrôlé à distance Hobo a été développé dans les années 1980 pour désamorcer les bombes terroristes. Sa robustesse, sa fiabilité et son adaptabilité en ont fait un auxiliaire précieux pour l'armée, les services de police, des douanes et les sociétés de sécurité privées. Hobo renseigne son opérateur essentiellement grâce aux caméras vidéo dont il est équipé. Il possède une panoplie d'accessoires lui permettant d'assurer diverses tâches.

Pince pour saisir des objets

Sonde pour briser des vitres

Disrupteur servant à désamorcer les bombes.

UN PILOTAGE EXPERT
Hobo est contrôlé par l'intermédiaire d'une console portable qui transmet des signaux au récepteur embarqué sur le robot. Grâce aux images envoyées par les caméras, un spécialiste du déminage peut actionner l'appareil, son bras et ses outils pour neutraliser la menace.

Le centre de gravité très bas de Hobo lui permet de rester stable même sur des terrains très pentus.

UN ROBOT TOUT TERRAIN
Hobo peut aller presque partout où irait un être humain. Grâce à ses roues et ses essieux spéciaux, les bords de trottoirs, les escaliers et les débris d'explosifs ne sont pas pour lui des obstacles. Il peut virer sur une très courte distance et lever des charges de 75 kg. Son électronique très sophistiquée résiste aux conditions difficiles et ses batteries sont gérées automatiquement pour ne pas tomber en panne dans les moments critiques.

La caméra de conduite est en position fixe.

DES DISTANCES ASTRONOMIQUES
Les robots peuvent être contrôlés à peu près de n'importe quelle distance. Ainsi, Sojourner, qui faisait partie de la mission Pathfinder, menée par la NASA, fut le premier robot à être contrôlé depuis la Terre après son atterrissage sur Mars. Mais comme les ondes radio mettent sept minutes à atteindre Mars et à en revenir, les ingénieurs qui contrôlaient Sojourner ne pouvaient lui donner que des instructions d'ordre général. Pour les détails, le robot devait se débrouiller seul et travaillait en autonomie.

La tête renferme un microphone/haut-parleur et une caméra vidéo.

SUR LA VAGUE INTERNET
CoWorker est le premier robot commercial conçu pour être contrôlé par Internet. Equipé d'une caméra et d'un téléphone, il pourra naviguer sur commande au sein des usines et des bureaux, permettant par exemple à un expert de juger une situation ou de prendre part à une réunion sans avoir besoin de se rendre sur place.

Pour lui permettre de localiser des survivants, Souryu est équipé d'une caméra et d'un microphone.

a caméra vidéo arrière st utile pour pointer arme à feu.

UN ROBOT TRÈS FLEXIBLE
Insérer une caméra dans un empilement de gravats à la recherche de victimes d'un tremblement de terre est le type de tâches pour lesquelles a été créé Souryu, dont le nom signifie « Dragon bleu ». Il s'agit d'un robot contrôlé à distance mis au point par l'Institut de Technologie de Tokyo, au Japon. Les différentes sections qui composent son corps serpentiforme sont mobiles de façon indépendante, pouvant pivoter sous presque tous les angles, tandis que ses chenilles lui permettent de se déplacer sur les surfaces rocheuses les plus irrégulières.

Le récepteur qui équipe Hobo capte les ordres transmis par l'opérateur.

LE VISITEUR DES CRATÈRES
Le robot Dante 2 évoque une grosse araignée. Ses jambes sont munies de capteurs qui lui permettent de se déplacer automatiquement, mais il est également contrôlé à distance. Au cours de l'été 1994, lors d'une mission expérimentale, il descendit au milieu des fumées et des cendres dans le cratère du mont Spurr, un volcan de l'Antarctique. Malheureusement, ses jambes s'emmêlèrent en heurtant un rocher et le robot, gravement endommagé, dut être récupéré par hélicoptère.

Chaque roue est mue par un moteur distinct.

ROBOTS MOBILES À VENDRE

Comment faire si vous avez besoin d'un robot mais n'avez ni le temps ni le savoir-faire pour le concevoir et le fabriquer ? Il vous reste la possibilité de l'acheter dans le commerce. De nos jours, en effet, on trouve des robots prêts à l'emploi, de différentes tailles, munis d'accessoires pour les adapter à différents usages. On peut les employer dans la recherche, comme guides dans les expositions, ou bien dans l'industrie, où ils véhiculent des produits et des documents dans les usines. La plupart de ces appareils sont des descendants de Shakey, le premier robot vraiment mobile, né en 1972, mais ils sont plus petits, plus légers et beaucoup moins coûteux.

Powerbot au travail dans une imprimerie

OUVRIER AUXILIAIRE
Powerbot, un poids lourd parmi les robots, est un successeur industriel des robots de la série Pioneer. Il est étanche, peut se déplacer à la vitesse de 10 km/h et transporter des charges de 100 kg. Powerbot trouve lui-même son chemin grâce à son intelligence artificielle, mais peut aussi être contrôlé manuellement. On peut l'utiliser pour la livraison, la collecte, l'inspection et la surveillance.

ROBOTS DE SÉRIE
Flakey fait partie d'une famille de robots mobiles qui débuta avec Shakey et se poursuit à travers les robots prêts à servir actuels. Il fut développé par Kurt Konolige à l'Institut de recherche de Stanford, aux Etats-Unis. Encombrant avec ses 140 kg, Flakey se déplaçait sur deux roues indépendantes. Il était équipé de douze télémètres à sonar, d'une caméra vidéo et de plusieurs ordinateurs embarqués.

L'ESPRIT D'ÉQUIPE
Descendant en droite ligne de Pioneer, Amigobot a été créé pour l'aide domestique, pour l'enseignement et la recherche. Les enseignants apprécient sa robuste fiabilité et la souplesse des possibilités de programmation qu'il offre. Conçu également pour travailler en équipe (pp. 56-57) avec d'autres Amigobots, il peut être adapté pour jouer au football.

UN CHAMPION ACCESSIBLE
Pioneer I est un descendant de Flakey, lui-même issu de Erratic, un robot de recherche à faible coût. En fait, il fut développé par Kurt Konolige pour constituer une version commerciale de Erratic. Dix fois moins coûteux que ce dernier, les universités purent enfin se l'offrir pour enseigner la robotique. Equipé d'accessoires pour jouer au football, Pioneer 1 remporta la RoboCup, le championnat de football des robots, en 1998. Son successeur est Pioneer 2.

LE ROBOT CONVIVIAL
Autre rejeton de la lignée des Pioneer, Peoplebot a été créé spécifiquement pour communiquer avec l'homme. Il est équipé, au niveau de la taille humaine, d'un module renfermant un microphone et des haut-parleurs pour la commande vocale. Peoplebot peut faire office de guide touristique, de réceptionniste, de coursier ou encore de vigile.

PETIT MAIS COSTAUD
De fabrication suisse, Khepera, populaire auprès des expérimentateurs et des roboticiens amateurs, est peut-être le plus connu des robots du commerce. Il ne mesure que 55 mm de diamètre et pèse seulement 70 g. Piloté par le même programme que les autres robots de la lignée de Shakey, il est souvent engagé dans les matchs de football inter-robots.

Les caméras, qui évoquent des yeux sur pédoncule, pivotent pour obtenir une vision panoramique de l'environnement.

MODÈLE FAMILIAL
Avec ses 30 cm de large et ses six roues à crampons, Koala est le grand frère de Khepera. C'est un robot très efficace. Equipé d'un bras aspirateur spécial, il peut, par exemple, nettoyer le sol. Très proche de Khepera dans sa conception, toutes les idées nouvelles touchant à son développement peuvent être préalablement testées sur son semblable plus modeste.

Une caméra couleur peut réaliser des photos de ce que voit le robot.

On peut adapter des accessoires sur le dos d'Amigobot.

L'antenne reçoit les messages issus de la radiocommande.

migobot est quipé de détecteurs lémétriques à sonar.

DES ROBOTS DANS LA SALLE DE CLASSE

L'informatique à l'école se pratique le plus souvent avec des ordinateurs classiques, constitués d'une boîte renfermant l'unité centrale et munis d'un écran, d'un clavier et d'une souris. Mais il existe aujourd'hui, dans certaines écoles, des ordinateurs équipés de roues ou de jambes et capables de se déplacer : ce sont en fait des robots. Les modèles utilisés dans les salles de classe offrent une manière amusante d'apprendre les bases des mathématiques. Les jeunes enfants, notamment, aiment cette approche ludique et interactive. Les robots scolaires servent également à initier les élèves à la programmation et à leur enseigner comment fonctionnent ces machines. À des niveaux beaucoup plus élevés, dans les lycées et les universités, les robots sont indispensables à l'enseignement des techniques et des sciences de la robotique et à la formation des futurs ingénieurs roboticiens.

UN INSTITUTEUR HI-TECH
Dans les années 1980, aux Etats-Unis, le robot commandé à distance Nutro enseignait dans les écoles l'importance d'un bon régime alimentaire. Les robots ne sont, actuellement, pas encore assez intelligents pour remplacer totalement les professeurs. Mais, en rendant la leçon plus marquante, un modèle télécommandé comme Nutro peut aider les jeunes élèves à mieux la retenir.

UN PROFESSEUR INSPIRÉ
Le mathématicien sud-africain Seymour Papert commença à s'intéresser aux robots éducatifs vers la fin des années 1960. Il eut l'idée d'enseigner les mathématiques aux élèves en les faisant jouer avec une tortue contrôlée par ordinateur, qui se déplaçait sur une feuille de papier pour dessiner des formes et motifs divers. Pour commander sa tortue, il mit au point un langage de programmation simple mais puissant, le Logo.

Des enfants programment les déplacements de Roame

LE COPAIN DES PETIT
Roamer est un petit robot tout rond monté s des roues non apparentes. Il se programm simplement en appuyant sur des boutons situ sur sa coque. Il est donc très apprécié da les écoles primaires. En l'utilisant, les jeun élèves améliorent, sans s'en rendre compt des savoirs élémentaires comme cel de compter ou de différencier la droite d la gauche. Le petit robot circule au mili de la classe comme on le lui a demand ou bien, muni d'un crayon, dessine des moti sur du papier. Il produit également des son Les instituteurs encouragent souvent les enfan à déguiser leur robot de classe pour lui donner d allures de monstre ou d'anim de compagni

LES TORTUES ÉDUCATIVES
Les tortues robots sont aujourd'hui couramment employées pour initier les enfants à la programmation informatique. Ce modèle contrôlé à distance, fabriqué par Valiant Technology, interprète les signaux infrarouges issus d'un ordinateur qui déterminent ses mouvements.

Les enfants ont collé des yeux sur ce robot Roamer.

MONTEZ-LE VOUS-MÊME
Dérivé d'un modèle développé pour l'enseignement en université, Rug Warrior est un petit robot intelligent et mobile, capable de se déplacer tout seul. Il est fourni en kit dont il faut assembler les éléments et se programme facilement à partir d'un ordinateur personnel. Il est donc idéal pour enseigner la robotique et c'est aujourd'hui l'un des robots en kit les plus vendus.

Le disque de plastique protège l'électronique en cas de collision.

ototype
Rug Warrior
nçu pour
ttoyer les sols

CLASSES D'ÉTÉ
A l'université de Carnegie Mellon, aux Etats-Unis, le laboratoire de programmation des robots mobiles organise tous les étés des courses pour les étudiants en robotique. Ces derniers construisent et programment des robots mobiles qu'ils peuvent conserver chez eux au terme de la compétition.

Les barres métalliques sont les « os » du robot, et les moteurs ses « muscles ».

Le cerveau de Freddy est un petit microprocesseur programmé à l'aide d'un ordinateur personnel.

UN JOUET SCIENTIFIQUE
Freddy est un robot humanoïde créé à l'aide d'un kit Lego Mindstorms. Ce kit permet aux enfants de concevoir, construire, programmer et faire fonctionner un robot eux-mêmes. Il a été développé par Seymour Papert en collaboration avec la société danoise Lego, fabricant de jouets.

DES ROBOTS MODULABLES
Les kits Robix sont conçus pour la construction de robots capables de marcher, d'envoyer des balles et même de servir des tasses de thé. Ils sont très appréciés aux Etats-Unis pour l'enseignement de la robotique et de l'ingénierie à tous les niveaux, depuis le lycée jusqu'à l'Université. Ils sont constitués de barres métalliques que l'on assemble à l'aide de moteurs contrôlés par ordinateur.

Les robots, compagnons de jeu

Pour un enfant, l'idée qu'un jouet puisse disposer d'une intelligence propre a quelque chose de très attirant. Mais les premiers jouets représentant des robots n'étaient rien de plus que des formes en métal ou en plastique munies de lumières clignotantes. Ceux de la dernière génération peuvent voir, entendre, répondre aux commandes de leur « maître » et manifester certaines « émotions ». Il en est même qui s'endorment le soir. Pour les roboticiens, la création de ces jouets représente plus qu'un amusement de grands enfants ; les techniques développées pour améliorer leurs modèles sont également mises à profit pour des applications plus sérieuses.

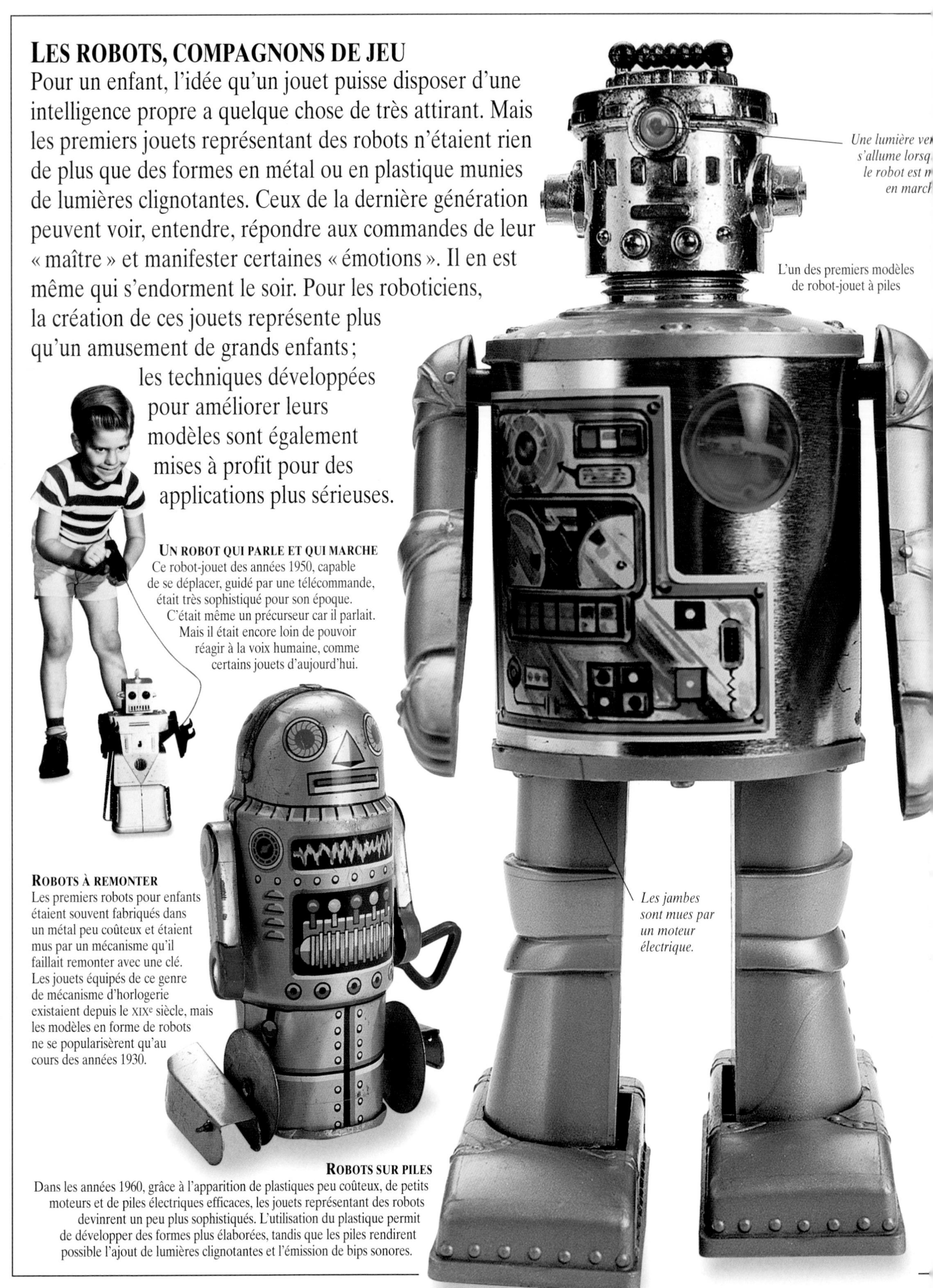

Une lumière ve
s'allume lorsq
le robot est n
en marc

L'un des premiers modèles de robot-jouet à piles

Un robot qui parle et qui marche
Ce robot-jouet des années 1950, capable de se déplacer, guidé par une télécommande, était très sophistiqué pour son époque. C'était même un précurseur car il parlait. Mais il était encore loin de pouvoir réagir à la voix humaine, comme certains jouets d'aujourd'hui.

Robots à remonter
Les premiers robots pour enfants étaient souvent fabriqués dans un métal peu coûteux et étaient mus par un mécanisme qu'il faillait remonter avec une clé. Les jouets équipés de ce genre de mécanisme d'horlogerie existaient depuis le XIXe siècle, mais les modèles en forme de robots ne se popularisèrent qu'au cours des années 1930.

Les jambes sont mues par un moteur électrique.

Robots sur piles
Dans les années 1960, grâce à l'apparition de plastiques peu coûteux, de petits moteurs et de piles électriques efficaces, les jouets représentant des robots devinrent un peu plus sophistiqués. L'utilisation du plastique permit de développer des formes plus élaborées, tandis que les piles rendirent possible l'ajout de lumières clignotantes et l'émission de bips sonores.

UN PETIT COMPAGNON TOUT DOUX
Furby est une petite créature robotisée en peluche, dotée d'une bouche, d'yeux et d'oreilles mobiles. Il peut parler, chanter, danser et répondre à son maître. Il réclame une attention constante mais s'endort automatiquement lorsque la nuit tombe. Furby fut lancé en 1998 par le créateur de jouets Dave Hampton et la société Tiger Electronics et connut immédiatement un immense succès.

Quelques variétés de Furby

Furby sans son habillage en peluche

Le haut-parleur est situé sous l'interrupteur sur le ventre de furby.

Le chien peut obéir à des ordres simples.

Aibo jouant à la balle

Aibo communique en émettant des lumières colorées situées à la place des yeux.

eux chiens ibo jouant nsemble

Aibo imite par son comportement celui d'un vrai chien.

RESQUE OMME UN VRAI
ibo, le célèbre chien robot de la société Sony, est programmé pour ire preuve d'instincts canins élémentaires : dormir, explorer, faire l'exercice, jouer. Il peut également exprimer la joie, la tristesse, colère, la surprise et la peur à l'aide d'une combinaison gestes et d'émissions lumineuses et sonores. Aibo a été is en vente pour la première fois en 1999. Depuis, Sony a amélioré pour le rendre moins coûteux et plus able. Dotés de capacités étonnantes, s derniers modèles répondent rsqu'on les appelle reconnaissent visage de leur aître.

« Des jouets comme Aibo [...] sont appelés à peupler de plus en plus notre monde. »

RODNEY BROOKS

Robot, the Future of Flesh and Machines

ERS-110, le premier modèle d'Aibo sorti en 1999

DANS L'UNIVERS DES ROBOTS DE COMBAT

Les machines pénètrent dans l'arène. Les moteurs hurlent et les armes s'entrechoquent. Devant une foule surexcitée, des robots de combat, contrôlés à distance, s'affrontent. Nous sommes dans une compétition où les participants ont engagé leurs machines ; des engins puissants conçus pour se déplacer très rapidement sur une vaste surface. Le but est de supplanter les concurrents en force et en agilité. Le jeu peut être dangereux : ceux qui ne sont pas maniés avec assez de dextérité sont parfois endommagés. Mais bon nombre d'ingénieurs en robotique considèrent ces combats de robots comme un moyen passionnant et amusant d'améliorer les techniques et les composants qui serviront à construire les robots à usage utilitaire de demain.

SE BATTRE POUR LE PLAISIR
Le goût pour les combats de divertissement remonte aux gladiateurs qui, à l'époque romaine, s'affrontaient dans les arènes. Comme ces derniers, les robots de combat requièrent à la fois force et savoir-faire. Pour ce est qui de la force, ils peuvent être équipés d'armes fonctionnant à l'électricité et de carapaces en titane. Leur savoir-faire, quant à lui, repose encore, pour l'heure, sur l'homme qui les contrôle à distance.

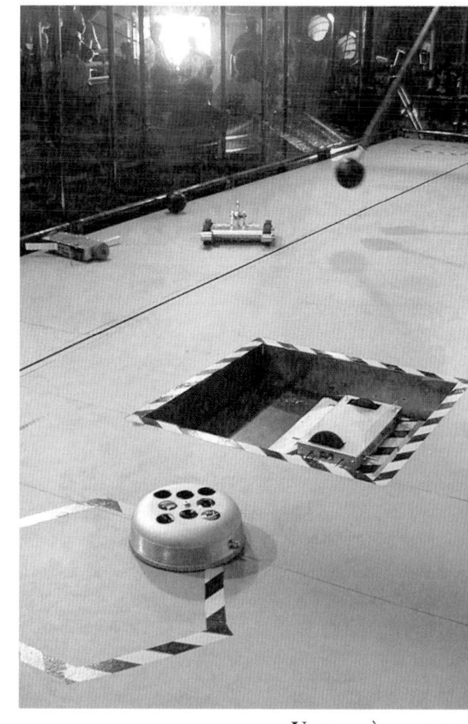

UN SUCCÈS CROISSA
La BotBash est l'une des plus anciennes compétitio de robots de combat. Depuis sa première édition, a Etats-Unis, où deux robots s'affrontaient au mili d'un cercle de craie, les arènes ont beaucoup évolu comme on le voit sur la photo ci-dessus. Aujourd'h les rencontres sont organisées dans monde entier. La plupart suive les règles établies par la Lig américaine de combats de robo

Entre les différentes reprises d'une compétition, il est parfois nécessaire d'effectuer des réparations.

DES COMBATTANTS DE TOUTES FORCES
Afin que les joutes soient équitables, les participants aux combats de robots sont répartis dans différentes classes selon leur poids. Cette jeune compétitrice prépare son robot pour un combat de classe poids légers. Dans les classes les plus lourdes, on trouve des monstres atteignant 177 kg, et parmi les poids plumes, des petites machines de moins de 0,5 kg. Il existe aussi des restrictions en fonction de la taille des robots et des limitations concernant les armes qu'ils transportent : les explosifs sont interdits !

L'armure est faite de fibre de verre, légère mais résistante.

Les défenses de Matil sont mues par la for hydrauliq

A CONSTRUCTION D'UN ROBOT DE COMBAT

ɔur les concepteurs de robots de combat, trouver des solutions aux oblèmes techniques est un défi tout aussi passionnant que les combats x-mêmes. Seuls un soin extrême apporté à la conception et une génierie de précision permettent de transformer les idées initiales en combattants efficaces. En cas d'erreur, la sanction est immédiate : circuits électriques défectueux, moteurs qui grillent, carapaces qui se brisent sous les coups des concurrents sont autant de déconvenues qui font que l'on apprend vite. Mais même les leçons les plus rudes, apprises sur le terrain, sont mises à profit pour d'autres projets.

À L'ÉTAT DE PROJET
Il faut d'abord prendre en compte le poids des nposants, déterminer quels matériaux utiliser ainsi e la puissance électrique nécessaire et l'endroit où n disposera les grosses batteries qui la fourniront. uvent, les plans du robot sont établis r ordinateur.

aaque ɔque est uni de deux nts de coupe.

LA CONSTRUCTION
Une fois les pièces réunies, on les semble. Ci-dessus, ce technicien boulonne r son robot deux disques trancheurs qui urnent dans des directions opposées. s dents dont ils sont armés ont pour nction d'entamer la robuste armure s engins rivaux.

Ici, le robot est contrôlé par une radiocommande d'aéromodélisme, adaptée pour les besoins.

3 LANCÉ DANS LA BATAILLE
Pour le robot, l'épreuve ultime est celle du combat. La machine ne possède aucune intelligence artificielle propre. Elle dépend des signaux radio transmis par son conducteur. Remporter un combat réclame une grande expérience. La radiocommande fonctionne un peu comme une poignée de console de jeu vidéo : un pouce contrôle les déplacements, l'autre le fonctionnement des armes.

La coque est en titane, un métal à la fois robuste et léger.

Les roues sont pleines afin d'éviter les crevaisons.

L'engin est armé de deux puissants bras leveurs.

Dreadnaut a une garde au sol très basse afin d'empêcher les autres robots de le retourner.

LA GUERRE DES ROBOTS
Robot Wars (la guerre des robots) est une émission de télévision anglaise dans laquelle des robots comme Dreadnaut (ci-dessus), construits par les compétiteurs, se battent entre eux et contre des robots « résidents », telle Matilda (page de gauche), aux formes dinosauriennes. Parmi les robots résidents, figurent également Shunt, muni d'une hache pour fendre en deux les opposants, et Dead Metal, armé de pinces pneumatiques et d'une scie circulaire.

Les robots et le sport

Construire des robots de sport est à la fois très amusant et très instructif. Pour l'heure, ces machines ne sont capables de pratiquer que des jeux simplifiés car leurs capacités de mouvements restent très limitées. Parvenir à leur donner l'agilité, la vitesse et la maîtrise d'un sportif humain est un véritable défi, mais qui peut apprendre énormément aux roboticiens sur la manière de construire des robots plus efficaces. Les plus doués des robots actuels savent marcher sur un terrain de football et envoyer du pied un ballon dans une cage de but vide. Le jour où ils sauront courir vers cette même cage défendue par un gardien humain et marquer le but, l'âge des robots sera venu.

Illustration du XIXe siècle représentant un robot à vapeur lanceur de baseball

Le robot humanoïde SDR-3X

Le corps du robot reproduit la position du footballeur humain.

La footballeuse américaine Mia Hamm

Un but à long ter

Dans le cadre de la RoboCup, un pro vise à mettre au point une équipe de rob capable de battre l'équipe de footb championne du monde vers 2050. Po cela, les machines devront être en mesu de reproduire les mouvemen fluides d'un footballeur huma tels ceux qui sont nécessaires po dribbler, tout en maîtrisant le équilibre. Ils devront aussi sav développer des tactiques de j intelligentes. Plus de 3 000 personn réparties dans 35 pays travaille sur le projet RoboCu

L'afficheur sert à sélectionner différents programmes de jeu.

Le bras lanceur s'apprête à donner un coup dans le ballo

Le robot s'approche pour tenter de s'approprier le ballon.

La plus simple expression

Pour le mettre à la portée des robots expérimentaux actuels aux capacités limitées, le football a été réduit à ses principes essentiels. Une équipe peut ainsi être constituée d'un seul robot. L'appareil doit simplement s'approprier le ballon et le faire entrer dans la cage de l'adversaire. La plupart des robots joueurs de football actuels naviguent à l'aide de détecteurs infrarouges. Ils n'ont que de petits cerveaux électroniques et ne voient pas bien. De ce fait, les matchs sont souvent abandonnés lorsque les deux équipes perdent leurs repères !

Un robot joueur de football en cubes Lego développé par des étudiants en cybernétique

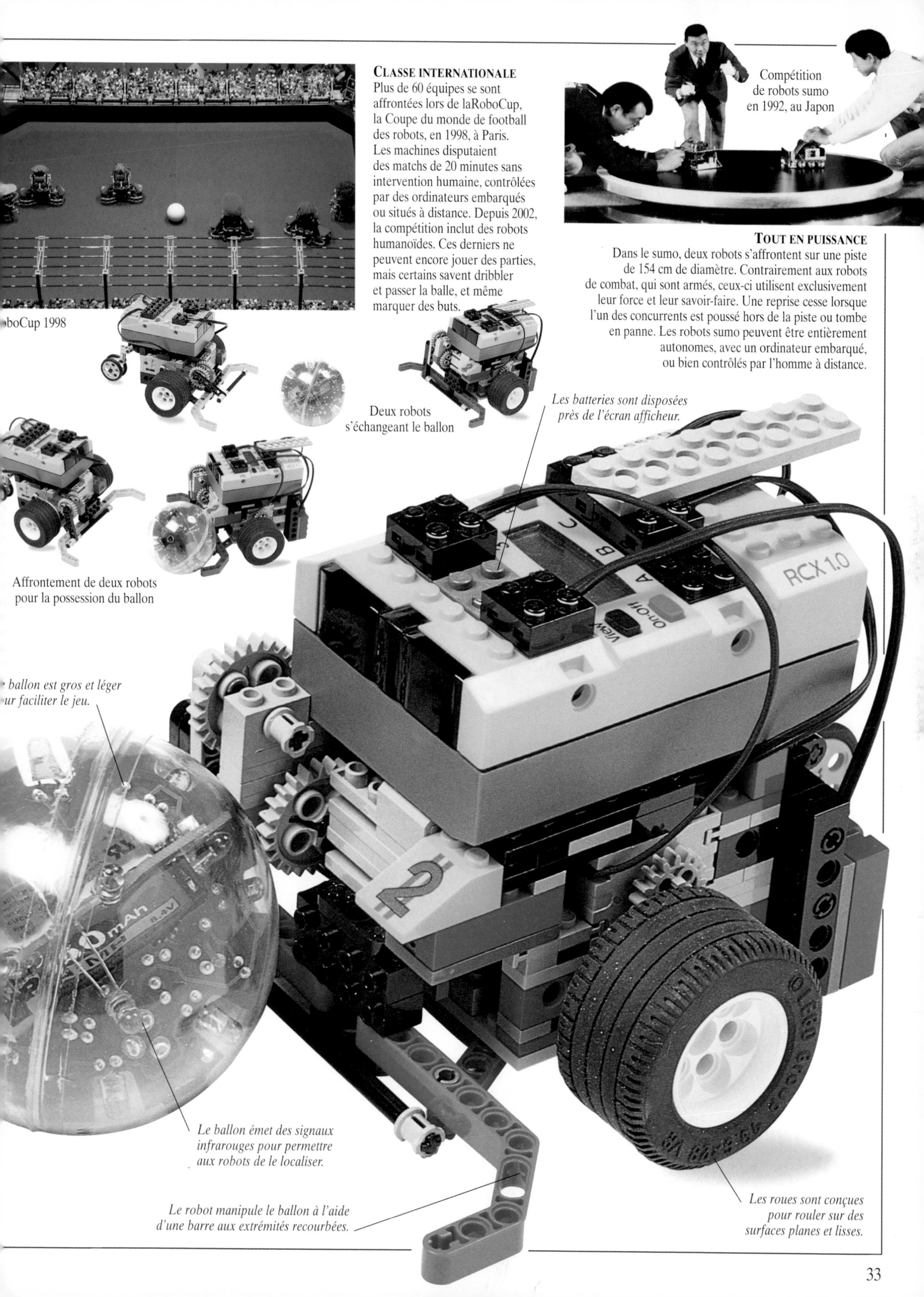

CLASSE INTERNATIONALE
Plus de 60 équipes se sont affrontées lors de laRoboCup, la Coupe du monde de football des robots, en 1998, à Paris. Les machines disputaient des matchs de 20 minutes sans intervention humaine, contrôlées par des ordinateurs embarqués ou situés à distance. Depuis 2002, la compétition inclut des robots humanoïdes. Ces derniers ne peuvent encore jouer des parties, mais certains savent dribbler et passer la balle, et même marquer des buts.

Compétition de robots sumo en 1992, au Japon

TOUT EN PUISSANCE
Dans le sumo, deux robots s'affrontent sur une piste de 154 cm de diamètre. Contrairement aux robots de combat, qui sont armés, ceux-ci utilisent exclusivement leur force et leur savoir-faire. Une reprise cesse lorsque l'un des concurrents est poussé hors de la piste ou tombe en panne. Les robots sumo peuvent être entièrement autonomes, avec un ordinateur embarqué, ou bien contrôlés par l'homme à distance.

ɔboCup 1998

Deux robots s'échangeant le ballon

Affrontement de deux robots pour la possession du ballon

Les batteries sont disposées près de l'écran afficheur.

ballon est gros et léger ur faciliter le jeu.

Le ballon émet des signaux infrarouges pour permettre aux robots de le localiser.

Le robot manipule le ballon à l'aide d'une barre aux extrémités recourbées.

Les roues sont conçues pour rouler sur des surfaces planes et lisses.

Les robots, assistants de laboratoire

La recherche scientifique fait souvent appel à des procédures de laboratoire très rigoureuses et répétitives, donc fastidieuses. Or, c'est exactement dans ce genre de tâches que les robots excellent. Ils reproduisent leurs actions à l'infini et toujours à l'identique sans jamais ressentir l'ennui. On peut, de ce fait, leur confier des corvées sans risque d'erreur. C'est ce qui en fait des outils idéaux pour la production pharmaceutique, par exemple, où des tests fréquents doivent être effectués sur les médicaments, sans aucune variation. Les robots sont, en outre, insensibles aux micro-organismes, à la radioactivité et aux produits chimiques, et peuvent donc assurer à la place de l'homme les travaux dangereux.

Des robots bien propres

La production de médicaments, et d'organismes génétiquement modifiés ainsi que les manipulations génétiques sont généralement effectuées dans des enceintes stériles, espaces clos totalement étanches et dépourvus de toute impureté. Un homme, même équipé d'une combinaison protectrice, risquerait de contaminer cet espace ou d'être lui-même contaminé. Un bras robotisé, au contraire, peut y intervenir sans le moindre risque.

De l'extérieur de l'enceinte stérile, un opérateur manipule le bras robotisé.

La combinaison est une protection supplémentaire contre la contamination.

À la force des bras

Les premiers robots de laboratoire étaient des bras comme ceux que l'on voit ci-dessus. Ils étaient commandés manuellement par un opérateur humain, dont ils reproduisaient tous les gestes. Appelés télémanipulateurs, on s'en servait notamment pour manipuler des matériaux dangereux dans l'industrie nucléaire. De nos jours, ces bras sont mus par des moteurs électriques et commandés par ordinateur.

Des robots techniciens

Les bras en poste fixe constituent le type le plus simple de robots de laboratoire. Ils peuvent effectuer toutes sortes de tâches pourvu que les pièces à manipuler se trouvent « à portée de main ». Un robot comme celui-ci, commandé par ordinateur, est capable de saisir et disposer des objets à leur place ou bien fournir aux appareils de mesure chimique des produits pour analyse.

Le robot peut basculer délicatement une fiole sans renverser le produit qu'elle contient.

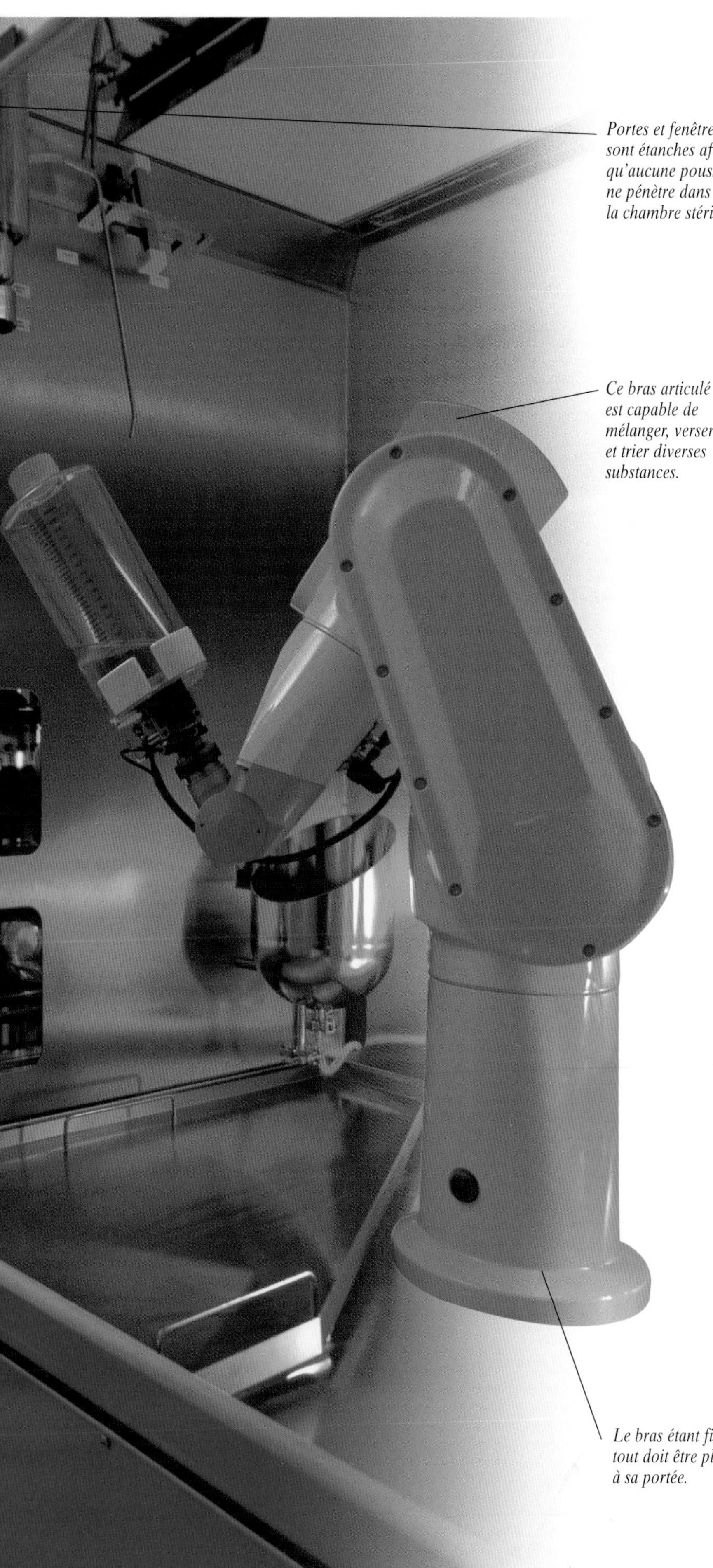

Portes et fenêtres sont étanches afin qu'aucune poussière ne pénètre dans la chambre stérile.

Ce bras articulé est capable de mélanger, verser et trier diverses substances.

Le bras étant fixe, tout doit être placé à sa portée.

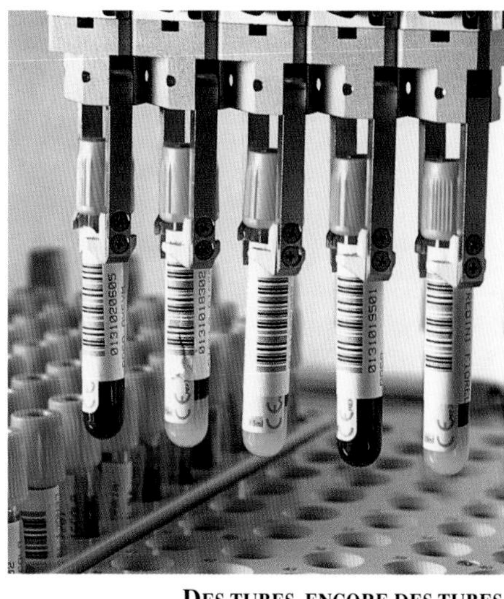

DES TUBES, ENCORE DES TUBES, TOUJOURS DES TUBES

Lorsqu'un prélèvement de sang est effectué en laboratoire pour analyse, l'échantillon est généralement traité par un robot. Tous les jours, des milliers de tubes sont ainsi pris en charge et ce manipulateur électronique est capable de gérer et de conserver les données relatives à chacun d'entre eux. En une heure seulement, celui-ci peut prendre en charge 2000 tubes, lire leur étiquette et les disposer à la place qui convient dans les racks de classement.

DES CELLULES DE CULTURE

Utilisée en recherche biomédicale, SelecT est une machine qui assure automatiquement la culture des cellules. Cette culture s'effectue *in vitro* (c'est-à-dire dans des conteneurs de laboratoire en verre) dans le but de mettre au point des médicaments et des composés biologiques. Employée aussi en thérapie génique, SelecT a été conçue avec l'aide des grands laboratoires pharmaceutiques. Comparativement aux méthodes manuelles, elle est plus rapide, plus précise et fournit des résultats plus homogènes.

Culture de cellules dans des boîtes de Petri

LE RÔLE DES ROBOTS DANS LA MÉDECINE

Il y a vingt ans, il aurait été impensable de faire intervenir un robot dans une salle d'opération. Pourtant, grâce aux puissants ordinateurs et aux techniques de pointe dont nous disposons aujourd'hui, un automate est tout à fait capable, sous la supervision de l'homme, de manier le bistouri dans un certain nombre d'interventions délicates. Les chirurgiens dirigent encore évidemment toute l'opération mais dans vingt ans, la pratique médicale aura sans doute bien changé. La robotique pourrait également révolutionner le domaine des membres artificiels, appelés prothèses, ainsi que les systèmes d'assistance aux personnes handicapées qui ne peuvent plus marcher (les orthèses).

UNE BONNE INFIRMIÈRE
Le métier d'infirmière nécessitant une vigilance de tous les instants, il serait sans doute intéressant, quoique peu humain, de remplacer les femmes qui le pratiquent par des machines. Pourtant, le robot-infirmier n'est pas encore pour demain bien qu'il existe des robots capables d'aider une infirmière à tourner un malade dans son lit.

DE VRAIS DOIGTS MOBILES
Jadis, les personnes qui avaient la malchance de perdre une main devaient se résigner à porter une prothèse rigide munie d'un crochet dont l'usage était restreint. Grâce à la technologie issue en partie de la recherche en robotique, ces patients peuvent aujourd'hui disposer d'une main électrique dont les doigts, fonctionnant sur piles, bougent grâce à des impulsions données par les muscles qui subsistent dans le bras.

Mécanique interne d'une main artificielle moderne

Le repas des patients est apporté par Helpmate.

UN AUXILIAIRE À L'HÔPITAL
Helpmate est un robot conçu pour les hôpitaux. C'est en fait un coursier mécanique qui peut porter les repas mais aussi les prélèvements, les médicaments, les dossiers médicaux et les radios d'un service hospitalier à un autre. Helpmate est capable de trouver son chemin dans les couloirs et même de prendre les ascenseurs. Un système de sécurité intégré l'empêche de heurter les patients.

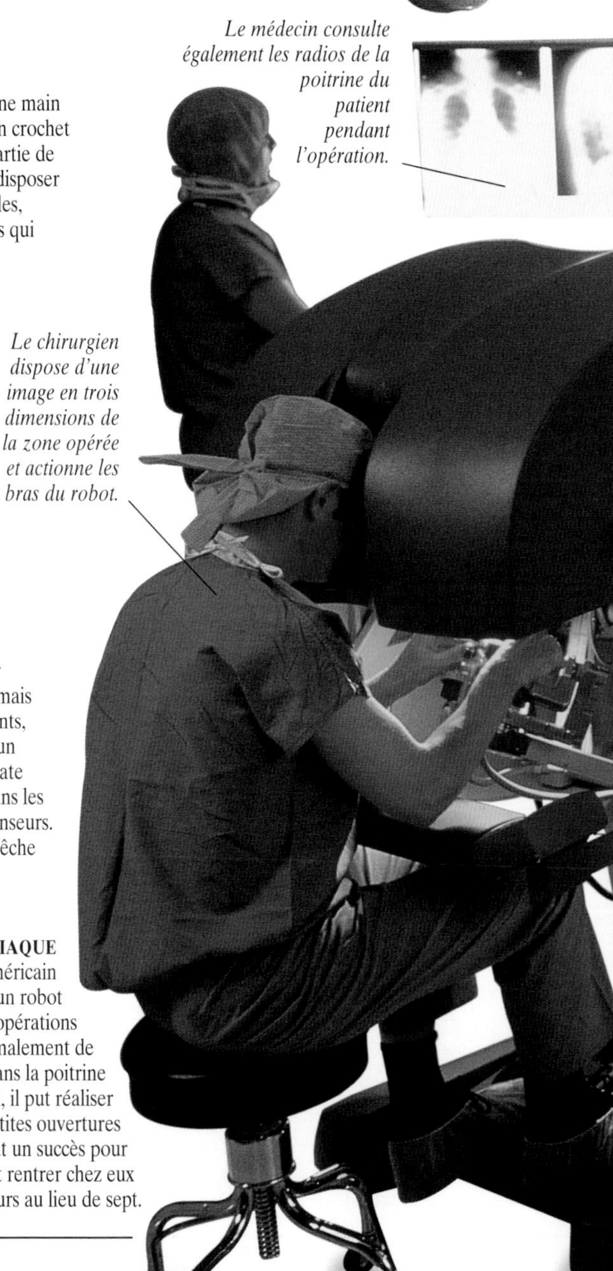

Le médecin consulte également les radios de la poitrine du patient pendant l'opération.

Le chirurgien dispose d'une image en trois dimensions de la zone opérée et actionne les bras du robot.

EN CHIRURGIE CARDIAQUE
En 2002, le chirurgien américain Michael Argenziano a employé un robot appelé DaVinci pour des opérations du cœur qui auraient nécessité normalement de pratiquer une grande incision dans la poitrine du patient. Grâce à DaVinci, il put réaliser ses interventions par quatre petites ouvertures de 1 cm de large. L'intervention fut un succès pour 14 patients sur 15 qui purent rentrer chez eux au bout de trois jours au lieu de sept.

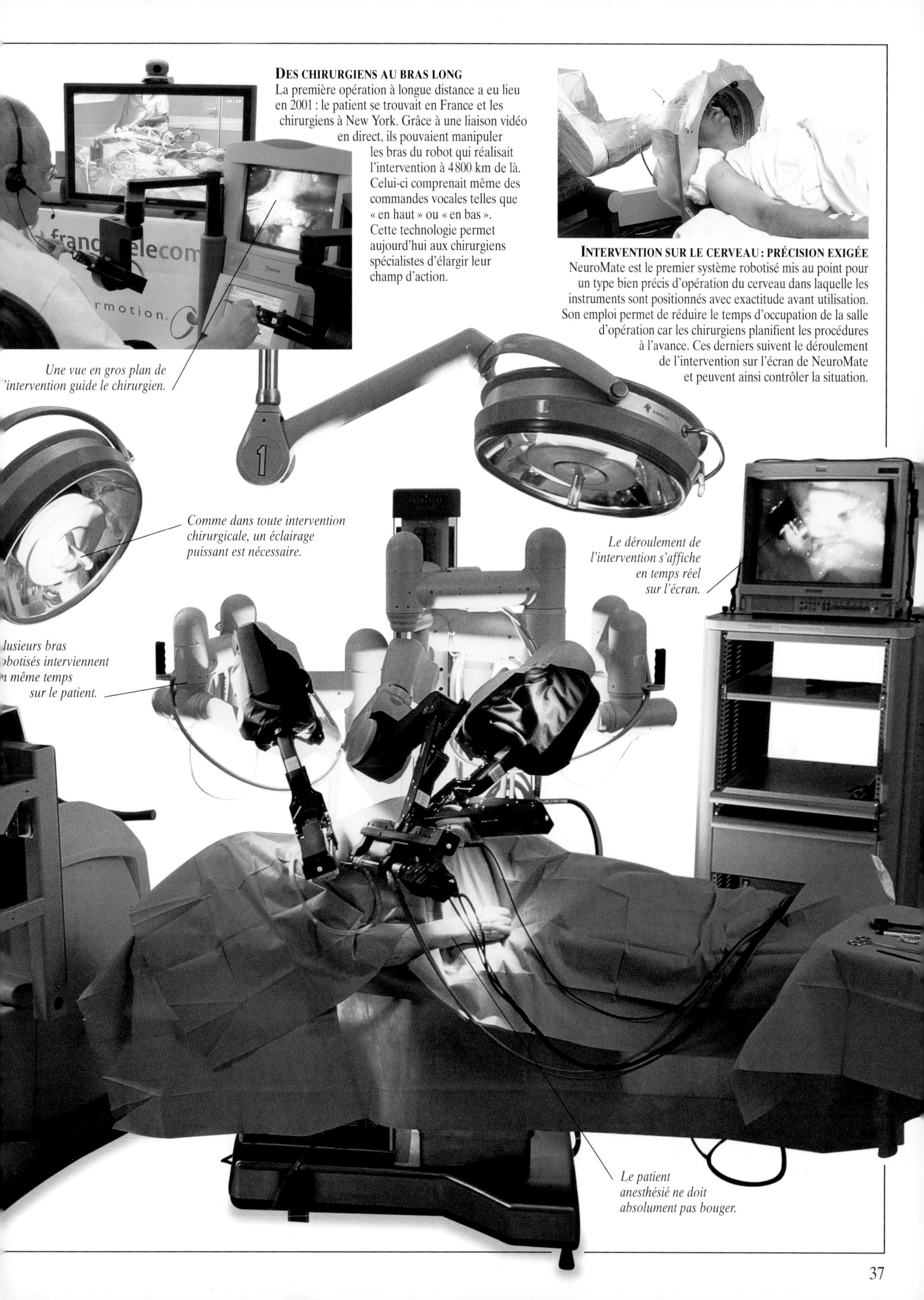

DES CHIRURGIENS AU BRAS LONG
La première opération à longue distance a eu lieu en 2001 : le patient se trouvait en France et les chirurgiens à New York. Grâce à une liaison vidéo en direct, ils pouvaient manipuler les bras du robot qui réalisait l'intervention à 4800 km de là. Celui-ci comprenait même des commandes vocales telles que « en haut » ou « en bas ». Cette technologie permet aujourd'hui aux chirurgiens spécialistes d'élargir leur champ d'action.

Une vue en gros plan de l'intervention guide le chirurgien.

INTERVENTION SUR LE CERVEAU : PRÉCISION EXIGÉE
NeuroMate est le premier système robotisé mis au point pour un type bien précis d'opération du cerveau dans laquelle les instruments sont positionnés avec exactitude avant utilisation. Son emploi permet de réduire le temps d'occupation de la salle d'opération car les chirurgiens planifient les procédures à l'avance. Ces derniers suivent le déroulement de l'intervention sur l'écran de NeuroMate et peuvent ainsi contrôler la situation.

Comme dans toute intervention chirurgicale, un éclairage puissant est nécessaire.

Le déroulement de l'intervention s'affiche en temps réel sur l'écran.

lusieurs bras ›botisés interviennent ı même temps sur le patient.

Le patient anesthésié ne doit absolument pas bouger.

Le beau rêve du robot domestique

Aujourd'hui, les ingénieurs savent enfin construire des robots en mesure d'assurer à notre place certaines tâches fastidieuses. Bien sûr, il n'en existe pas encore qui sachent repasser le linge ou sortir la poubelle, mais certains sont d'ores et déjà capables de nettoyer le sol et de tondre la pelouse. Ces surfaces sont toutefois des espaces relativement simples ; dans l'environnement tridimensionnel complexe de la maison, les progrès sont beaucoup plus lents. Des actes qui nous semblent faciles, tels que monter les escaliers et faire la distinction entre une chose à jeter et un objet de valeur, posent de vrais problèmes aux robots. Il semble bien que le temps soit encore loin où la robotique nous soulagera totalement des corvées ménagères.

Illustration parue en 1929 dans *Le Petit Inventeur* représentant le domestique du futur cirant les chaussures de son maître.

Banryu évoque ur sorte de dinosau futurist

Wakamaru voit le monde grâce à deux caméras.

Drôle de dragon
Banryu, dont le nom signifie « dragon de garde », peut se déplacer de 15 m par minute et franchir une marche haute de 15 cm. Il voit, entend et peut identifier l'odeur de brûlé. S'il détecte un danger, il avertit par téléphone mobile son propriétaire qui peut le commander à distance.

Doué de parole
Wakamaru est le premier robot conçu pour s'occuper des personnes âgées. Il transmet à la famille des images de son propriétaire à l'aide d'une webcam et d'un téléphone mobile intégrés. Il parle bien grâce aux 10 000 mots qu'il connaît. Ainsi, si la personne reste sans bouger pendant un certain temps, Wakamaru lui demande si elle va bien et appelle les services d'urgence si nécessaire.

En avance sur son temps
En 1983, la compagnie américaine Androbot a lancé Topo, un robot en plastique ressemblant à un jouet. Son concepteur, Nolan Bushnell, le considérait plus comme un ami fidèle que comme un domestique. Haut de 91 cm, il était commandé depuis un ordinateur personnel par liaison radio. C'est maintenant une antiquité très recherchée.

UN ASPIRATEUR AUTONOME

Lancé en 2001, le Trilobite d'Electrolux était l'un des premiers robots domestiques à être commercialisé. C'est tout simplement un aspirateur aditionnel doué d'intelligence. Il se repère dans ses déplacements grâce aux ultrasons, et un système de bandes magnétiques posé en travers des portes l'empêche de les franchir. Il aspire en se déplaçant tout seul pendant une heure, puis revient vers son chargeur de batteries.

IL NE FAUT PAS RÊVER

Ce robot imaginaire de 1927 remplace un valet de chambre, dont le travail est d'entretenir les vêtements. Après la Première Guerre mondiale, les gens aisés eurent des difficultés à trouver des domestiques, d'où un certain intérêt pour les gadgets ménagers.

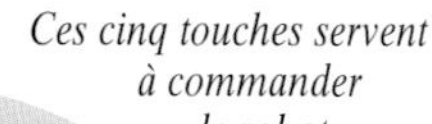

Ces cinq touches servent à commander le robot.

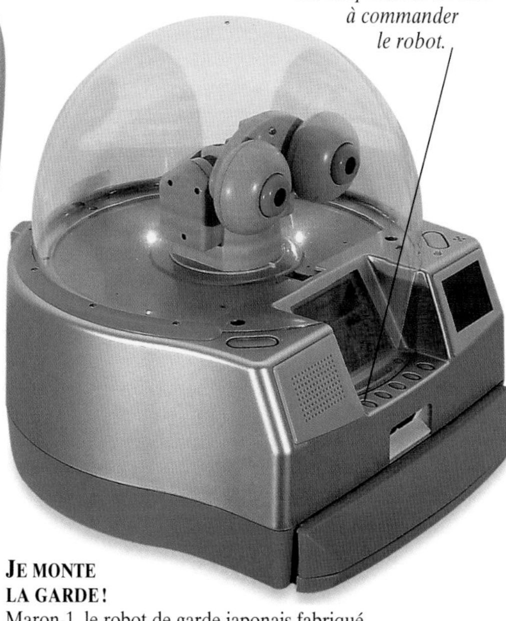

JE MONTE LA GARDE !

Maron-1, le robot de garde japonais fabriqué par Fujitsu, mesure 36 cm de haut et se déplace sur des roues. Recevant les instructions de son maître par son téléphone intégré, il est également doté de capteurs pour détecter les mouvements. Si un intrus pénètre dans la maison quand Maron-1 monte la garde, ce dernier déclenche une alarme et téléphone à son propriétaire qui peut voir ce qui se passe grâce grâce aux deux caméras pivotantes qui lui font office d'yeux.

UNE TONDEUSE MAGIQUE

Robomow est une tondeuse à gazon robotisée. Mue par une batterie rechargeable, elle tond la pelouse sans l'aide de l'homme. Un fil électrique enterré sur le pourtour du gazon permet de la maintenir dans les limites de celui-ci, tandis que ses butoirs et ses capteurs lui permettent de détecter tout obstacle, pour éviter, par exemple, de tondre le chat !

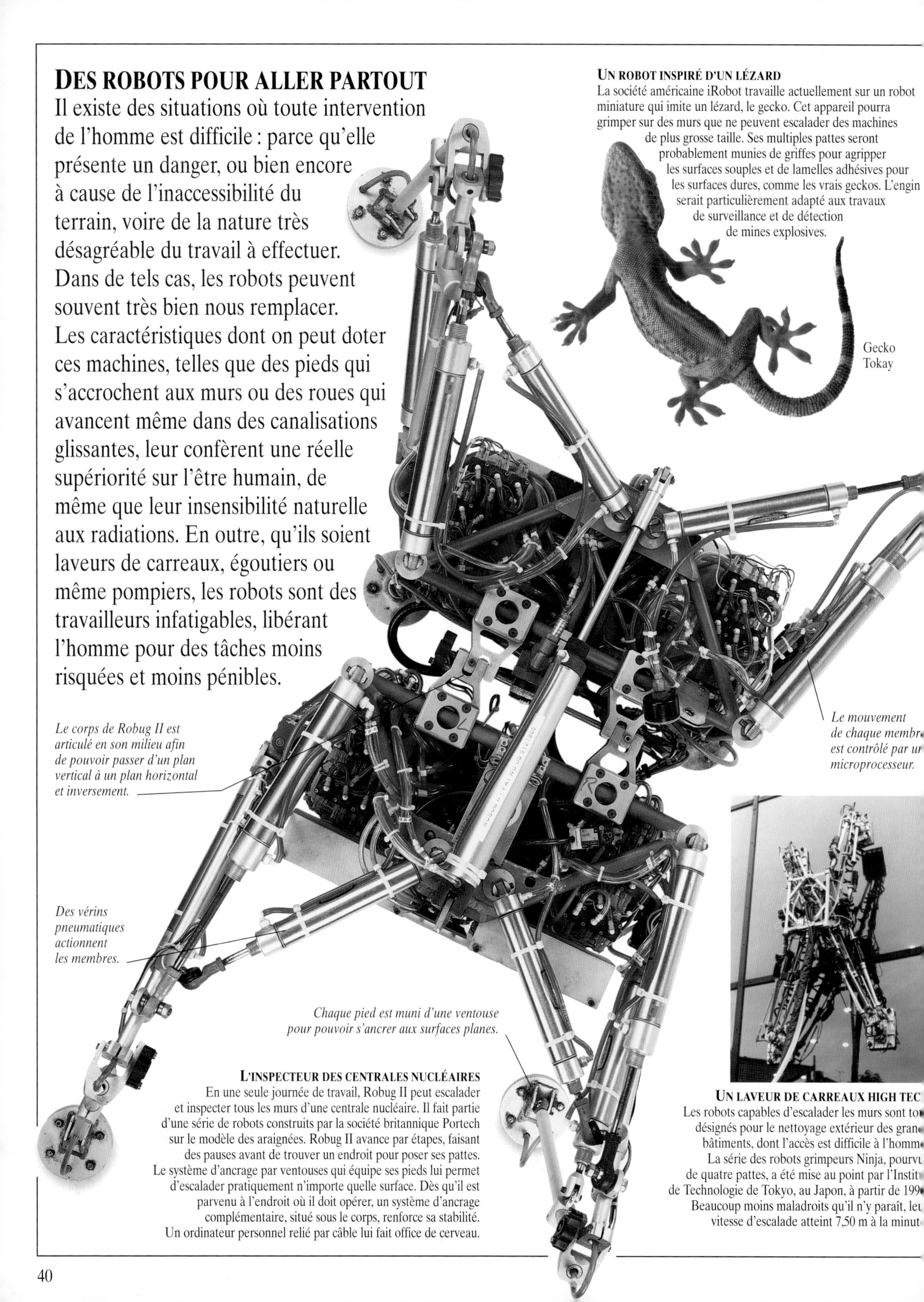

Des robots pour aller partout

Il existe des situations où toute intervention de l'homme est difficile : parce qu'elle présente un danger, ou bien encore à cause de l'inaccessibilité du terrain, voire de la nature très désagréable du travail à effectuer. Dans de tels cas, les robots peuvent souvent très bien nous remplacer. Les caractéristiques dont on peut doter ces machines, telles que des pieds qui s'accrochent aux murs ou des roues qui avancent même dans des canalisations glissantes, leur confèrent une réelle supériorité sur l'être humain, de même que leur insensibilité naturelle aux radiations. En outre, qu'ils soient laveurs de carreaux, égoutiers ou même pompiers, les robots sont des travailleurs infatigables, libérant l'homme pour des tâches moins risquées et moins pénibles.

Un robot inspiré d'un lézard

La société américaine iRobot travaille actuellement sur un robot miniature qui imite un lézard, le gecko. Cet appareil pourra grimper sur des murs que ne peuvent escalader des machines de plus grosse taille. Ses multiples pattes seront probablement munies de griffes pour agripper les surfaces souples et de lamelles adhésives pour les surfaces dures, comme les vrais geckos. L'engin serait particulièrement adapté aux travaux de surveillance et de détection de mines explosives.

Gecko Tokay

Le mouvement de chaque membr[e] est contrôlé par u[n] microprocesseur.

Le corps de Robug II est articulé en son milieu afin de pouvoir passer d'un plan vertical à un plan horizontal et inversement.

Des vérins pneumatiques actionnent les membres.

Chaque pied est muni d'une ventouse pour pouvoir s'ancrer aux surfaces planes.

L'inspecteur des centrales nucléaires

En une seule journée de travail, Robug II peut escalader et inspecter tous les murs d'une centrale nucléaire. Il fait partie d'une série de robots construits par la société britannique Portech sur le modèle des araignées. Robug II avance par étapes, faisant des pauses avant de trouver un endroit pour poser ses pattes. Le système d'ancrage par ventouses qui équipe ses pieds lui permet d'escalader pratiquement n'importe quelle surface. Dès qu'il est parvenu à l'endroit où il doit opérer, un système d'ancrage complémentaire, situé sous le corps, renforce sa stabilité. Un ordinateur personnel relié par câble lui fait office de cerveau.

Un laveur de carreaux high tec[h]

Les robots capables d'escalader les murs sont to[ut] désignés pour le nettoyage extérieur des gran[ds] bâtiments, dont l'accès est difficile à l'homm[e]. La série des robots grimpeurs Ninja, pourvu[s] de quatre pattes, a été mise au point par l'Instit[ut] de Technologie de Tokyo, au Japon, à partir de 199[.] Beaucoup moins maladroits qu'il n'y paraît, le[ur] vitesse d'escalade atteint 7,50 m à la minut[e].

ES ROBOTS DANS LES CANALISATIONS
›s égouts sont souvent visités par des robots commandés
listance. Kurt est l'un d'entre eux. Invention
emande, il fonctionne sans câbles car ceux-ci
urraient s'emmêler dans les virages et il est
ffisamment intelligent pour suivre tout seul
; méandres du réseau. Grâce à une carte
mérique des égouts et à un certain
mbre de repères que l'on a pris soin
lui fournir, il parvient au point
'on lui indique pour enregistrer
us les renseignements
cessaires sur l'état
›s canalisations.

Le robot voit si des tuyaux nécessitent des réparations et s'il y a des obstructions.

Deux faisceaux lasers guident Kurt dans le réseau des égouts.

La caméra enregistre des images qu'elle transmet à l'opérateur du robot.

UNE ŒUVRE D'ART
La plupart des touristes qui visitent Paris connaissent la pyramide de verre du musée du Louvre. Il en est peu, en revanche, qui savent comment elle est nettoyée. Après différentes expériences (ci-contre), c'est désormais un robot construit spécialement pour cet emploi par l'inventeur Henry Seemann, qui l'escalade grâce à ses trois grands pieds adhérant à la paroi et qui projette le produit de nettoyage sous pression.

*'obin est capable de sceller
›s déchets radioactifs dans
›s conteneurs. L'homme
ourra ensuite les manipuler
1 toute sécurité.*

U CŒUR DES RADIATIONS
es robots sont très utiles
ans le domaine de l'industrie
ucléaire car ils ne sont pas
ffectés par des taux élevés
radioactivité qui seraient
iortels pour l'homme.
pécialement conçu
our cela, le robot Robin
ossède des jambes qui
i permettent d'enjamber
›s obstacles et de
ansporter des matières
adioactives dans des zones
ouvent encombrées
câbles et de tuyaux.

LE ROBOT POMPIER
En cas d'incendie dans une centrale nucléaire ou une usine chimique, on pourra faire appel au Telerob MV4. Celui-ci peut être commandé à distance en toute sécurité grâce aux informations que lui-même transmet à son opérateur sur un écran. Il éteindra ainsi les flammes sans mettre en danger la vie des pompiers.

Les chenilles s'adaptent aux terrains accidentés.

Y A-T-IL UN PILOTE DANS L'AVION ?

Les constructeurs rivalisent pour essayer de mettre au point l'automobile robotisée qui se conduirait toute seule et se faufilerait dans la circulation pour déposer ses occupants à l'endroit voulu. Malheureusement, en dépit de nombreuses années de recherche, les réflexes élémentaires que l'homme acquiert en apprenant à conduire restent hors de portée des robots.

Dans les airs, en revanche, l'espace plus dégagé a permis de grands progrès. Des avions sans pilote, de toutes tailles, évoluent maintenant dans le ciel pour prendre des mesures et des photos mais aussi servir de relais pour les signaux radio.

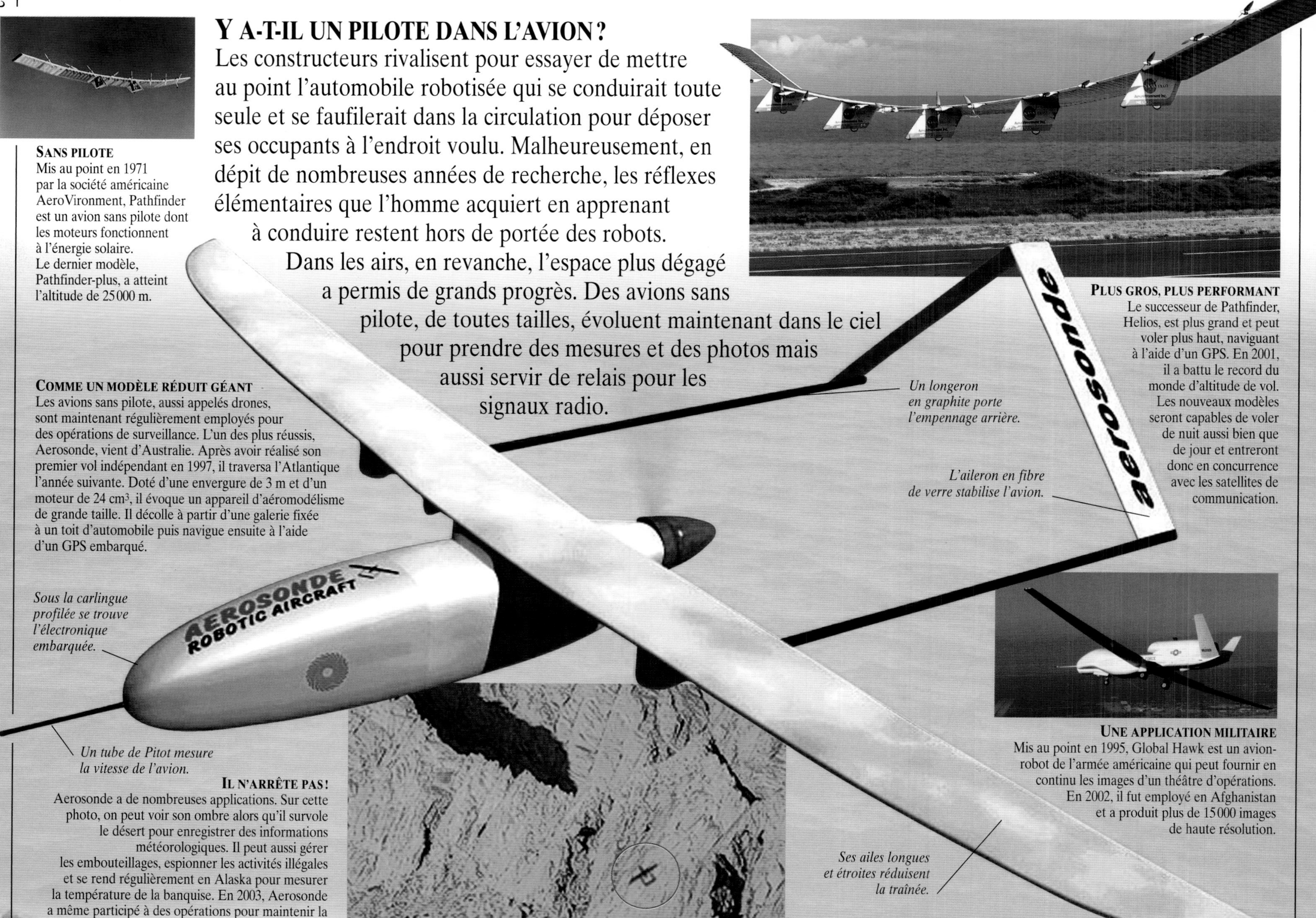

SANS PILOTE
Mis au point en 1971 par la société américaine AeroVironment, Pathfinder est un avion sans pilote dont les moteurs fonctionnent à l'énergie solaire. Le dernier modèle, Pathfinder-plus, a atteint l'altitude de 25 000 m.

PLUS GROS, PLUS PERFORMANT
Le successeur de Pathfinder, Helios, est plus grand et peut voler plus haut, naviguant à l'aide d'un GPS. En 2001, il a battu le record du monde d'altitude de vol. Les nouveaux modèles seront capables de voler de nuit aussi bien que de jour et entreront donc en concurrence avec les satellites de communication.

COMME UN MODÈLE RÉDUIT GÉANT
Les avions sans pilote, aussi appelés drones, sont maintenant régulièrement employés pour des opérations de surveillance. L'un des plus réussis, Aerosonde, vient d'Australie. Après avoir réalisé son premier vol indépendant en 1997, il traversa l'Atlantique l'année suivante. Doté d'une envergure de 3 m et d'un moteur de 24 cm³, il évoque un appareil d'aéromodélisme de grande taille. Il décolle à partir d'une galerie fixée à un toit d'automobile puis navigue ensuite à l'aide d'un GPS embarqué.

Un longeron en graphite porte l'empennage arrière.

L'aileron en fibre de verre stabilise l'avion.

Sous la carlingue profilée se trouve l'électronique embarquée.

Un tube de Pitot mesure la vitesse de l'avion.

Ses ailes longues et étroites réduisent la traînée.

UNE APPLICATION MILITAIRE
Mis au point en 1995, Global Hawk est un avion-robot de l'armée américaine qui peut fournir en continu les images d'un théâtre d'opérations. En 2002, il fut employé en Afghanistan et a produit plus de 15 000 images de haute résolution.

IL N'ARRÊTE PAS !
Aerosonde a de nombreuses applications. Sur cette photo, on peut voir son ombre alors qu'il survole le désert pour enregistrer des informations météorologiques. Il peut aussi gérer les embouteillages, espionner les activités illégales et se rend régulièrement en Alaska pour mesurer la température de la banquise. En 2003, Aerosonde a même participé à des opérations pour maintenir la paix aux îles Salomon dans le sud de l'océan Pacifique.

DES APPRENTIS CONDUCTEURS
Ce jeune apprenti conducteur a de grandes chances de réussir son permis de conduire ; beaucoup plus qu'Alvinn, un robot pourtant conçu dans ce but par l'université Carnegie Mellon, en 1995. Pour former son cerveau artificiel, Alvinn enregistra d'abord une vidéo d'une portion de route puis l'étudia avec attention. Mais le test de conduite qu'il effectua ensuite s'avéra peu concluant ; une tentative qu'il faut saluer mais qui a échoué.

« La robotique mobile n'est peut-être pas le chemin le plus rapide vers l'ère des machines aux compétences humaines, mais je suis convaincu que c'est le plus sûr. »

HANS MORAVEC

Institut de Recherches de Stanfort, Etats-Unis

Le Cart se déplace en évitant les obstacles.

Une antenne radio permet au Cart de rester en contact avec sa base.

Les yeux du Cart sont constitués par une caméra vidéo.

Course d'obstacles pour le Cart

LE PRIX DU SUCCÈS
En mars 2004, la DARPA, agence américaine pour les projets de recherche scientifique militaire, a lancé un concours pour la création de véhicules terrestres autonomes. L'itinéraire à parcourir allait de Los Angeles à Las Vegas, avec une récompense d'un million de dollars pour le vainqueur. Ce défi avait pour but d'accélérer la mise au point de véhicules robotisés pour l'armée.

Un véhicule participant au concours DARPA tel qu'un dessinateur l'a imaginé.

LENTEMENT MAIS SÛREMENT
Le Cart de Stanford est l'un des plus célèbres véhicules robotisés. Mis au point dans les années 1970 par Hans Moravec, de l'Institut de Recherches de Stanford, il évitait les obstacles grâce à son ordinateur embarqué. Il avait recours à la vision tridimensionnelle pour localiser les objets et définir sa trajectoire pour les contourner. Il fonctionnait bien mais n'avançait que de 4 m à l'heure. Sur la base des enseignements tirés de cette expérience, Moravec travaille toujours sur des versions plus performantes des systèmes qu'il avait conçus alors.

Les roues de grand diamètre sont adaptées aux terrains accidentés.

Le Cart de Stanford

LE PARCOURS DU COMBATTANT
Un robot a plus de difficultés à se déplacer sur terre que dans l'air ou dans l'eau en raison des obstacles qui y sont plus nombreux. Pour qu'un véhicule terrestre soit performant, il faut qu'il puisse trouver son chemin jusqu'à sa destination finale, rouler sur des routes défoncées, faire face à des situations dangereuses telles que la présence d'une rivière ou d'autres voitures qui viendraient éventuellement croiser sa trajectoire.

Les robots, nouveaux explorateurs des mers

La majeure partie de l'océan, qui recouvre les deux tiers de notre planète, nous reste inconnue. Pour son exploration, les robots sont devenus des outils indispensables aux chercheurs. Ces derniers utilisent depuis longtemps déjà des véhicules commandés à distance remorqués par des navires, ainsi que des submersibles de poche habités et équipés de bras robotisés. Mais ils disposent également aujourd'hui de robots sous-marins totalement autonomes, capables de naviguer seuls jusqu'à un endroit précis et d'effectuer des relevés à l'aide d'outils tels que la vidéo et le sonar. Pourtant, le plus élaboré de ces appareils fait encore pâle figure face à la perfection des formes de vie océanes. Les dernières recherches se sont attachées à imiter les qualités des animaux marins afin d'en doter les machines, qui ont, de fait, gagné en intelligence, en vitesse et en endurance.

Rien ne l'arrête !
Ariel est un robot qui pourrait servir prochainement à nettoyer les champs de mines le long des côtes. Marchant comme un crabe, il escalade les obstacles et peut enjamber des fissures qui mettraient en échec un robot sur roues. Et si une vague le retourne, Ariel continue d'avancer… le ventre en l'air !

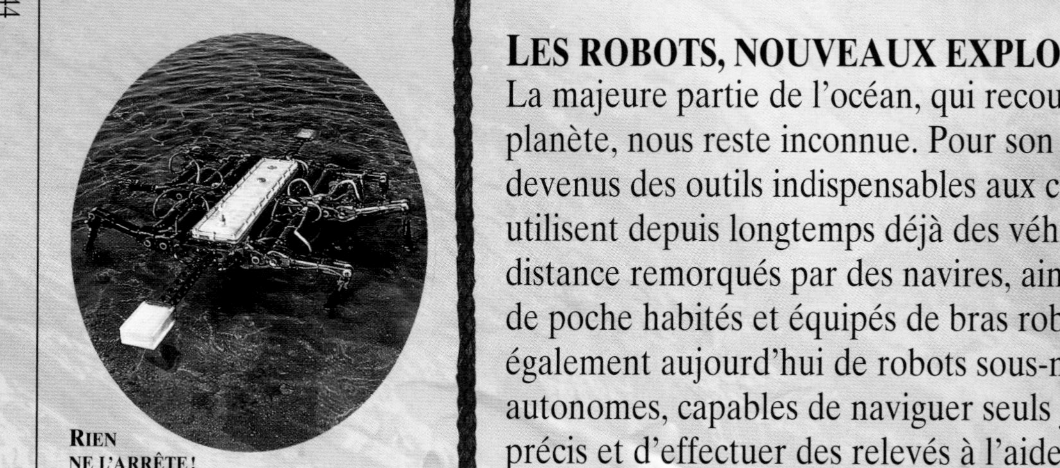

Des hélices électriques propulsent le robot.

Pour permettre à Roboshark de nager, son corps en fibres de verre est articulé.

Un requin cinéaste
Avant l'invention de Roboshark, il était assez difficile de filmer les requins sans perturber leur comportement naturel. Conçu à l'origine pour la BBC, ce squale en fibres de verre est programmé pour nager au milieu de ses cousins vivants afin de les filmer en pleine action. C'est le requin dagsit du Pacifique qui a servi de modèle au robot. Long de 2 m et capable de nager à 5 km/h, celui-ci est commandé à distance mais les roboticiens espèrent qu'un jour, il prendra lui-même ses décisions.

Comme un poisson dans l'eau
Comment les poissons peuvent-ils glisser dans l'eau avec une telle aisance ? Afin de répondre à cette question, John Kumph, de l'Institut de Technologie du Massachusetts, a imaginé un poisson-robot dont le corps est un ressort en fibres de verre recouvert de Lycra, capable de virer sous l'eau avec la même aisance qu'un véritable animal.

Un tissu extensible recouvre le poisson-robot.

Son corps souple est le fruit d'une mécanique très complexe.

Les explorateurs des grands fonds
Les robots sous-marins sont particulièrement adaptés à l'exploration des fonds océaniques. Des véhicules parfaitement autonomes, désignés par le sigle anglais AUV (*Autonomous Underwater Vehicle*), naviguent seuls sur de grandes distances et reviennent avec les données qu'ils ont enregistrées. D'autres robots peuvent être commandés depuis un navire en surface. C'est le cas de Hyball, que l'on voit ici inspecter une épave. Son câble lui sert d'une part à être alimenté en énergie et à recevoir ses instructions, d'autre part à transmettre des images du bateau naufragé. De puissants projecteurs sont également nécessaires car, au-delà

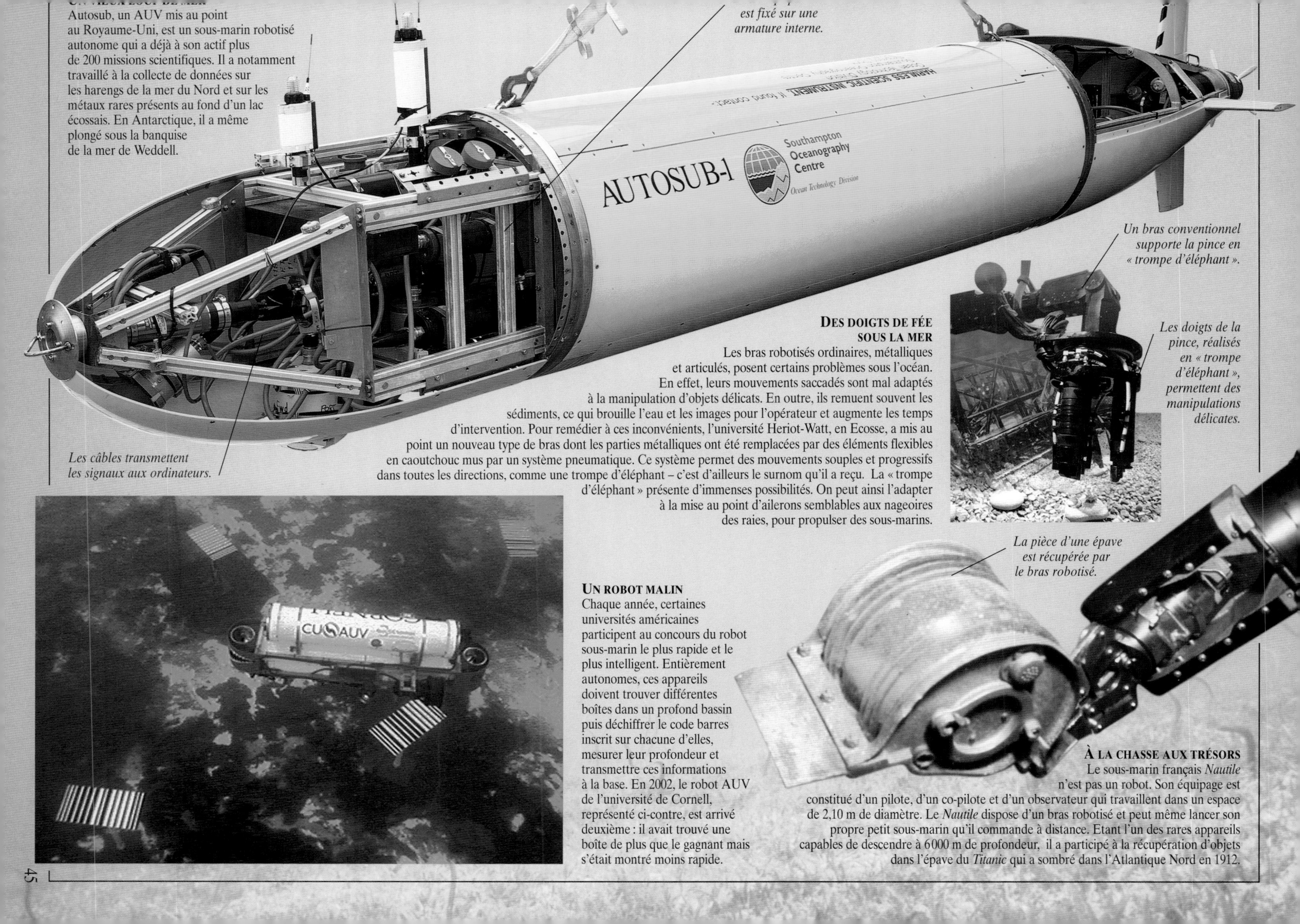

UN VIEUX LOUP DE MER
Autosub, un AUV mis au point au Royaume-Uni, est un sous-marin robotisé autonome qui a déjà à son actif plus de 200 missions scientifiques. Il a notamment travaillé à la collecte de données sur les harengs de la mer du Nord et sur les métaux rares présents au fond d'un lac écossais. En Antarctique, il a même plongé sous la banquise de la mer de Weddell.

est fixé sur une armature interne.

Les câbles transmettent les signaux aux ordinateurs.

Un bras conventionnel supporte la pince en « trompe d'éléphant ».

Les doigts de la pince, réalisés en « trompe d'éléphant », permettent des manipulations délicates.

DES DOIGTS DE FÉE SOUS LA MER
Les bras robotisés ordinaires, métalliques et articulés, posent certains problèmes sous l'océan. En effet, leurs mouvements saccadés sont mal adaptés à la manipulation d'objets délicats. En outre, ils remuent souvent les sédiments, ce qui brouille l'eau et les images pour l'opérateur et augmente les temps d'intervention. Pour remédier à ces inconvénients, l'université Heriot-Watt, en Ecosse, a mis au point un nouveau type de bras dont les parties métalliques ont été remplacées par des éléments flexibles en caoutchouc mus par un système pneumatique. Ce système permet des mouvements souples et progressifs dans toutes les directions, comme une trompe d'éléphant – c'est d'ailleurs le surnom qu'il a reçu. La « trompe d'éléphant » présente d'immenses possibilités. On peut ainsi l'adapter à la mise au point d'ailerons semblables aux nageoires des raies, pour propulser des sous-marins.

La pièce d'une épave est récupérée par le bras robotisé.

UN ROBOT MALIN
Chaque année, certaines universités américaines participent au concours du robot sous-marin le plus rapide et le plus intelligent. Entièrement autonomes, ces appareils doivent trouver différentes boîtes dans un profond bassin puis déchiffrer le code barres inscrit sur chacune d'elles, mesurer leur profondeur et transmettre ces informations à la base. En 2002, le robot AUV de l'université de Cornell, représenté ci-contre, est arrivé deuxième : il avait trouvé une boîte de plus que le gagnant mais s'était montré moins rapide.

À LA CHASSE AUX TRÉSORS
Le sous-marin français *Nautile* n'est pas un robot. Son équipage est constitué d'un pilote, d'un co-pilote et d'un observateur qui travaillent dans un espace de 2,10 m de diamètre. Le *Nautile* dispose d'un bras robotisé et peut même lancer son propre petit sous-marin qu'il commande à distance. Etant l'un des rares appareils capables de descendre à 6000 m de profondeur, il a participé à la récupération d'objets dans l'épave du *Titanic* qui a sombré dans l'Atlantique Nord en 1912.

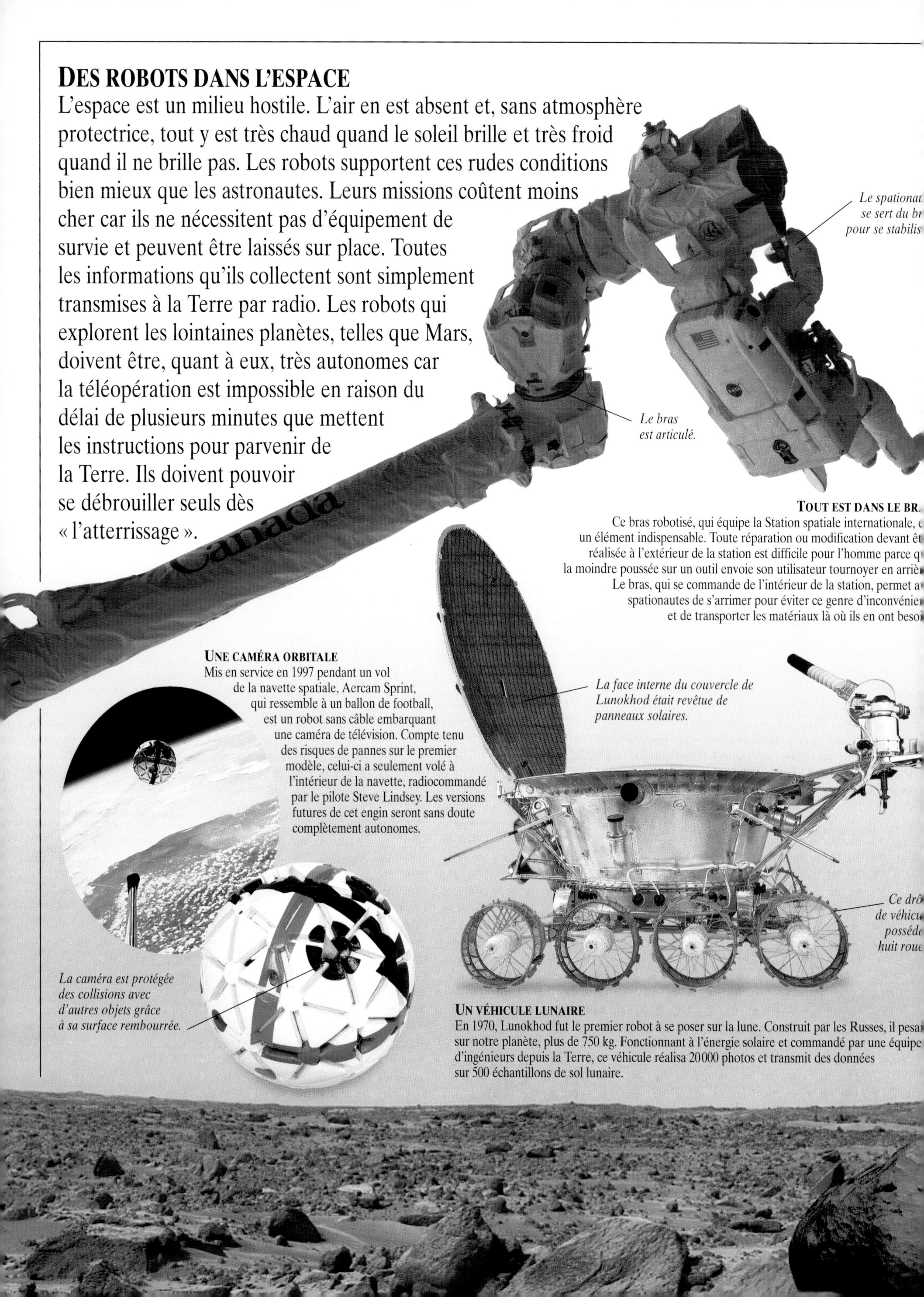

Des robots dans l'espace

L'espace est un milieu hostile. L'air en est absent et, sans atmosphère protectrice, tout y est très chaud quand le soleil brille et très froid quand il ne brille pas. Les robots supportent ces rudes conditions bien mieux que les astronautes. Leurs missions coûtent moins cher car ils ne nécessitent pas d'équipement de survie et peuvent être laissés sur place. Toutes les informations qu'ils collectent sont simplement transmises à la Terre par radio. Les robots qui explorent les lointaines planètes, telles que Mars, doivent être, quant à eux, très autonomes car la téléopération est impossible en raison du délai de plusieurs minutes que mettent les instructions pour parvenir de la Terre. Ils doivent pouvoir se débrouiller seuls dès « l'atterrissage ».

Le spationau se sert du br pour se stabilis

Le bras est articulé.

Tout est dans le br

Ce bras robotisé, qui équipe la Station spatiale internationale, e un élément indispensable. Toute réparation ou modification devant ét réalisée à l'extérieur de la station est difficile pour l'homme parce q la moindre poussée sur un outil envoie son utilisateur tournoyer en arriè Le bras, qui se commande de l'intérieur de la station, permet a spationautes de s'arrimer pour éviter ce genre d'inconvénie et de transporter les matériaux là où ils en ont besoi

Une caméra orbitale

Mis en service en 1997 pendant un vol de la navette spatiale, Aercam Sprint, qui ressemble à un ballon de football, est un robot sans câble embarquant une caméra de télévision. Compte tenu des risques de pannes sur le premier modèle, celui-ci a seulement volé à l'intérieur de la navette, radiocommandé par le pilote Steve Lindsey. Les versions futures de cet engin seront sans doute complètement autonomes.

La caméra est protégée des collisions avec d'autres objets grâce à sa surface rembourrée.

La face interne du couvercle de Lunokhod était revêtue de panneaux solaires.

Ce drô de véhicu possède huit roue

Un véhicule lunaire

En 1970, Lunokhod fut le premier robot à se poser sur la lune. Construit par les Russes, il pesa sur notre planète, plus de 750 kg. Fonctionnant à l'énergie solaire et commandé par une équipe d'ingénieurs depuis la Terre, ce véhicule réalisa 20000 photos et transmit des données sur 500 échantillons de sol lunaire.

[e]ntomoptère [att]errissant sur sa [pla]teforme de ravitaillement

L'ARAIGNÉE DE L'ESPACE
Les chercheurs de la NASA ont inventé Spider-bot, un micro-robot à six pattes qui pourrait un jour explorer de lointaines planètes. Contrairement aux dispositifs équipés de roues, un robot pourvu de pattes est plus adapté aux terrains irréguliers, rocheux et fissurés. Ce prototype tient dans le creux de la main mais les futures versions pourraient être encore plus petites.

UN COUP D'AILE
[Le]s scientifiques travaillent actuellement sur un « entomoptère », [c'e]st-à-dire un insecte-robot qui, pensent-ils, [po]urrait un jour voler sur Mars. Parce que [ce]tte planète est presque dépourvue [d'a]tmosphère, un avion à ailes fixes devrait, [po]ur s'y maintenir en l'air, avancer à la [vit]esse de 400 km/h, rendant tout travail [d'e]xploration difficile. Un « entomoptère », [en] revanche, pourrait se déplacer [len]tement en battant des ailes afin [d'é]tudier le paysage depuis les airs, [puis] se poser pour prélever des échantillons.

Un mat télescopique au sommet duquel sont installées quatre caméras procure au robot une excellente vision.

LE ROBOT NE RÉPOND PLUS
Beagle 2 a été largué en décembre 2003 par la sonde Mars Express, lancée par l'Agence spatiale européenne. Conçu à l'université d'Open, en Grande-Bretagne, le robot avait pour mission de chercher la présence d'éventuelles formes de vie sur la Planète rouge. Autonome grâce à l'énergie solaire, il pouvait aussi être commandé à distance. Son bras articulé était muni d'une panoplie d'instruments et de caméras. Malheureusement, on a perdu tout contact radio avec lui après son largage et l'engin est aujourd'hui perdu.

Les panneaux solaires qui recouvrent le plateau supérieur fournissent à l'engin son énergie.

SPIRIT ET OPPORTUNITY, LES JUMEAUX
[La]ncés en juin et juillet 2003 par la NASA, les derniers véhicules martiens en date, qui ont atterri en janvier 2004 sur la Planète rouge, s'appellent Spirit et Opportunity. Identiques, ils sont destinés à explorer des régions différentes et sont capables de parcourir 100 m en une journée martienne, c'est-à-dire en 24 h et 40 min. Sojourner, le robot américain qui les a précédés, avait couvert une distance à peine plus [g]rande dans toute sa vie. Les prochains engins conçus pour étudier Mars et tester de nouvelles technologies d'atterrissage sont prévus pour une mission en 2007.

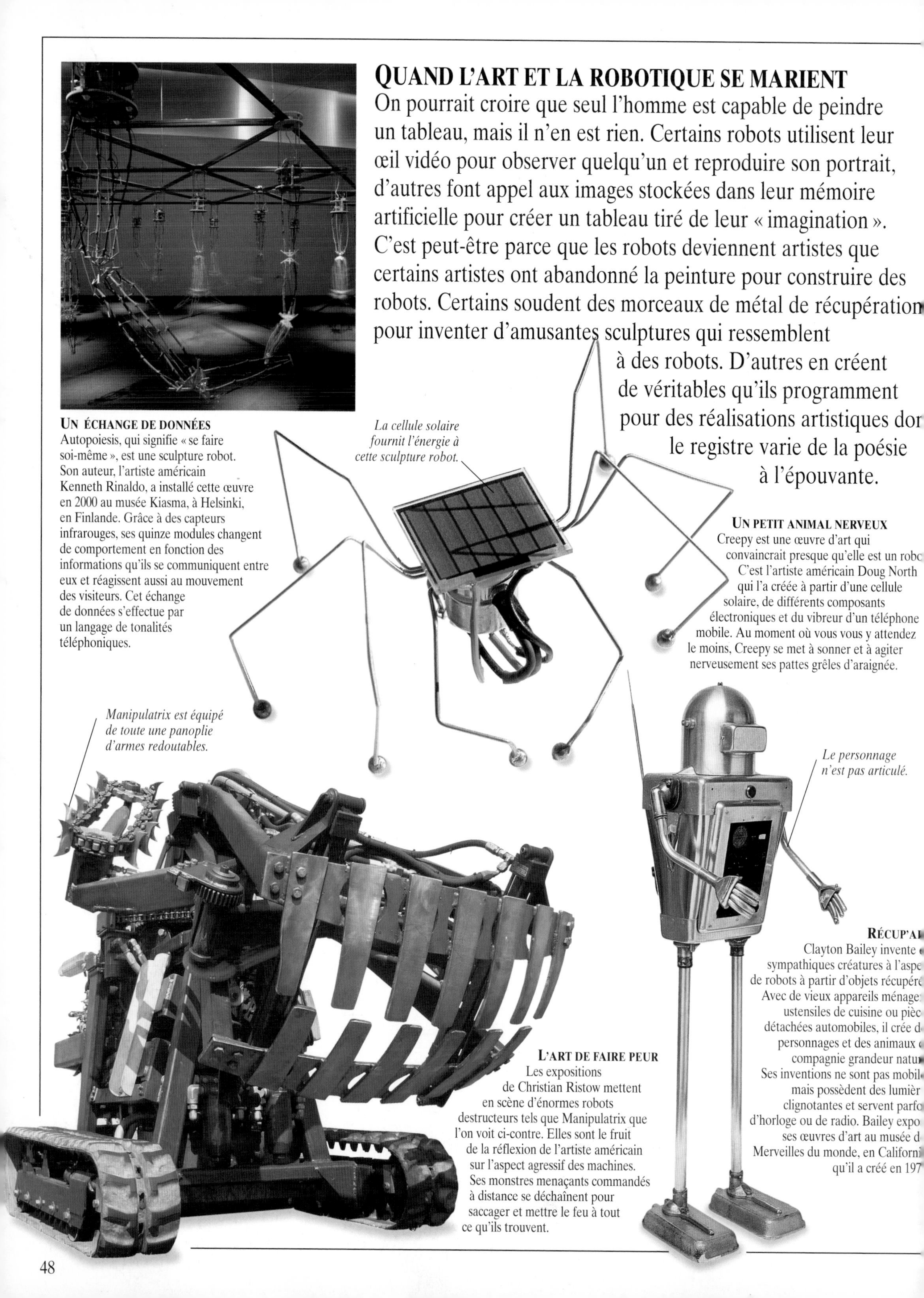

QUAND L'ART ET LA ROBOTIQUE SE MARIENT

On pourrait croire que seul l'homme est capable de peindre un tableau, mais il n'en est rien. Certains robots utilisent leur œil vidéo pour observer quelqu'un et reproduire son portrait, d'autres font appel aux images stockées dans leur mémoire artificielle pour créer un tableau tiré de leur « imagination ». C'est peut-être parce que les robots deviennent artistes que certains artistes ont abandonné la peinture pour construire des robots. Certains soudent des morceaux de métal de récupération pour inventer d'amusantes sculptures qui ressemblent à des robots. D'autres en créent de véritables qu'ils programment pour des réalisations artistiques dor le registre varie de la poésie à l'épouvante.

UN ÉCHANGE DE DONNÉES
Autopoiesis, qui signifie « se faire soi-même », est une sculpture robot. Son auteur, l'artiste américain Kenneth Rinaldo, a installé cette œuvre en 2000 au musée Kiasma, à Helsinki, en Finlande. Grâce à des capteurs infrarouges, ses quinze modules changent de comportement en fonction des informations qu'ils se communiquent entre eux et réagissent aussi au mouvement des visiteurs. Cet échange de données s'effectue par un langage de tonalités téléphoniques.

La cellule solaire fournit l'énergie à cette sculpture robot.

UN PETIT ANIMAL NERVEUX
Creepy est une œuvre d'art qui convaincrait presque qu'elle est un robc C'est l'artiste américain Doug North qui l'a créée à partir d'une cellule solaire, de différents composants électroniques et du vibreur d'un téléphone mobile. Au moment où vous vous y attendez le moins, Creepy se met à sonner et à agiter nerveusement ses pattes grêles d'araignée.

Manipulatrix est équipé de toute une panoplie d'armes redoutables.

Le personnage n'est pas articulé.

L'ART DE FAIRE PEUR
Les expositions de Christian Ristow mettent en scène d'énormes robots destructeurs tels que Manipulatrix que l'on voit ci-contre. Elles sont le fruit de la réflexion de l'artiste américain sur l'aspect agressif des machines. Ses monstres menaçants commandés à distance se déchaînent pour saccager et mettre le feu à tout ce qu'ils trouvent.

RÉCUP'A
Clayton Bailey invente sympathiques créatures à l'aspe de robots à partir d'objets récupéré Avec de vieux appareils ménage ustensiles de cuisine ou pièc détachées automobiles, il crée d personnages et des animaux compagnie grandeur natu Ses inventions ne sont pas mobil mais possèdent des lumièr clignotantes et servent parfo d'horloge ou de radio. Bailey expo ses œuvres d'art au musée d Merveilles du monde, en Californi qu'il a créé en 197

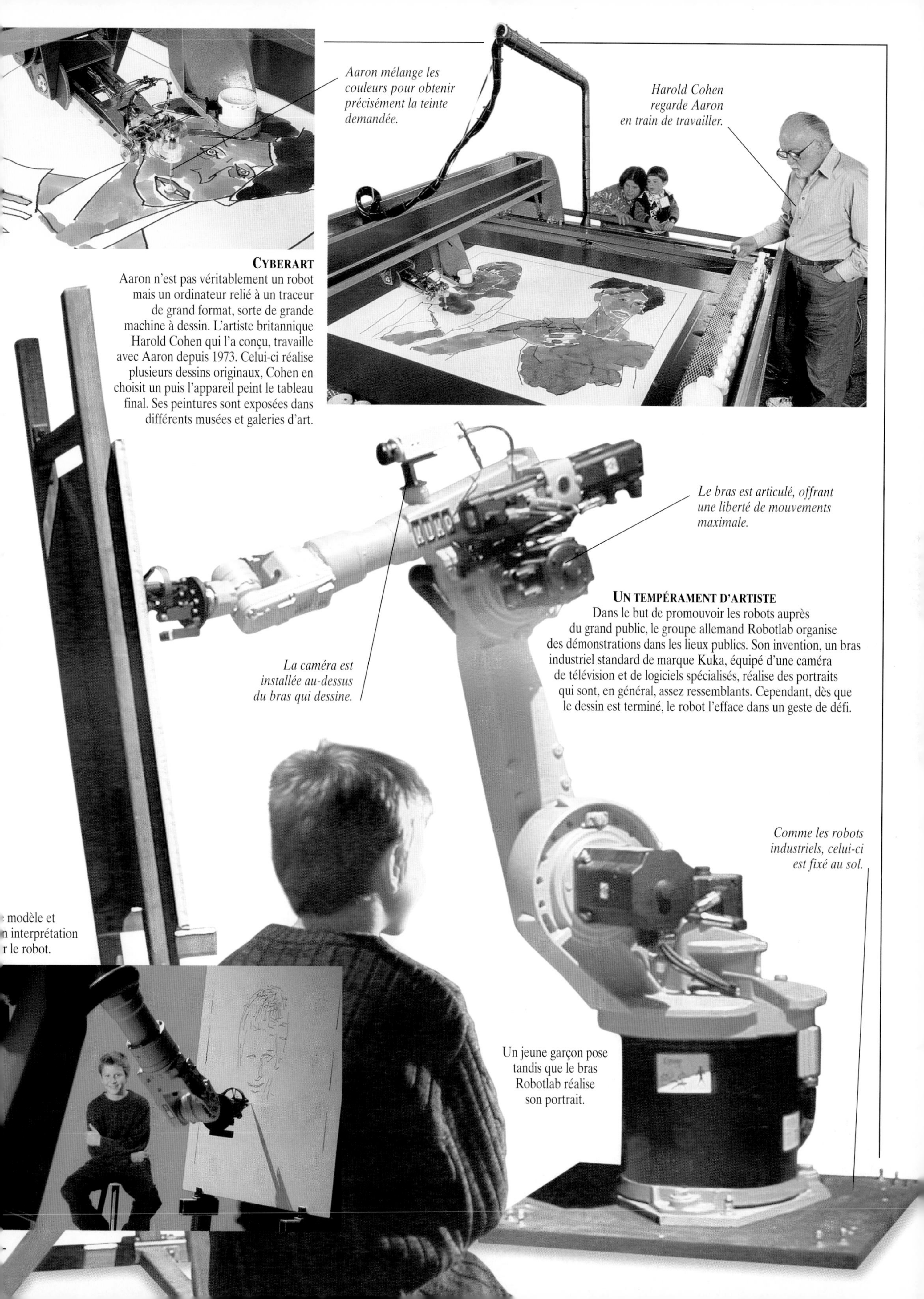

Aaron mélange les couleurs pour obtenir précisément la teinte demandée.

Harold Cohen regarde Aaron en train de travailler.

CYBERART
Aaron n'est pas véritablement un robot mais un ordinateur relié à un traceur de grand format, sorte de grande machine à dessin. L'artiste britannique Harold Cohen qui l'a conçu, travaille avec Aaron depuis 1973. Celui-ci réalise plusieurs dessins originaux, Cohen en choisit un puis l'appareil peint le tableau final. Ses peintures sont exposées dans différents musées et galeries d'art.

Le bras est articulé, offrant une liberté de mouvements maximale.

UN TEMPÉRAMENT D'ARTISTE
Dans le but de promouvoir les robots auprès du grand public, le groupe allemand Robotlab organise des démonstrations dans les lieux publics. Son invention, un bras industriel standard de marque Kuka, équipé d'une caméra de télévision et de logiciels spécialisés, réalise des portraits qui sont, en général, assez ressemblants. Cependant, dès que le dessin est terminé, le robot l'efface dans un geste de défi.

La caméra est installée au-dessus du bras qui dessine.

Comme les robots industriels, celui-ci est fixé au sol.

modèle et
n interprétation
r le robot.

Un jeune garçon pose tandis que le bras Robotlab réalise son portrait.

La musique cybernétique

Des pianos mécaniques sophistiqués et autres automates musicaux existaient déjà au début du XXe siècle. Mais la belle musique doit être jouée avec expressivité et non pas mécaniquement. La pratique d'un instrument exige de combiner mouvement et sensibilité, ce qui nécessite une coordination complexe et représente un véritable défi pour les roboticiens. Il n'est donc pas surprenant que la musique compte parmi les premières épreuves auxquelles on ait soumis les robots modernes. Ceux-ci, toutefois, n'ont pas encore remplacé les vrais musiciens, même si certains batteurs ont déjà perdu leur emploi à cause d'eux : les boîtes à rythme commandées par ordinateur accompagnent aujourd'hui souvent la pop'music.

Un accompagnement mécanique
Les orchestres de robots étaient à la mode à Paris dans les années 1950. Ce n'étaient en réalité nullement de vrais cybermusiciens car ils bougeaient simplement au rythme de la musique qui provenait d'un disque vinyle. Ce trio, inventé par Didier Jouas-Poutrel en 1958, pouvait mimer tous les airs disponibles demandés par les danseurs.

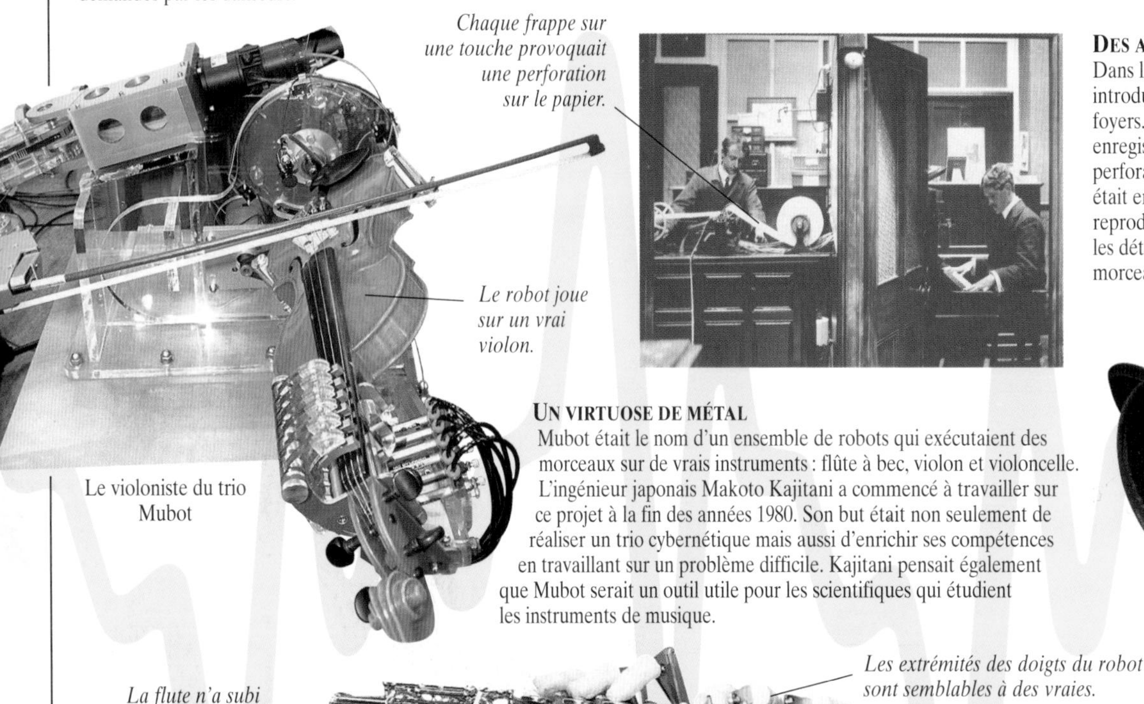

Chaque frappe sur une touche provoquait une perforation sur le papier.

Le robot joue sur un vrai violon.

Le violoniste du trio Mubot

Des airs en rouleaux
Dans les années 1920, les pianos mécaniques ont introduit la musique enregistrée dans certains foyers. Le musicien jouait sur un piano enregistreur qui transformait les notes en perforations sur un rouleau de papier. Celui-ci était ensuite passé dans un autre piano qui reproduisait tous les détails du morceau.

Un virtuose de métal
Mubot était le nom d'un ensemble de robots qui exécutaient des morceaux sur de vrais instruments : flûte à bec, violon et violoncelle. L'ingénieur japonais Makoto Kajitani a commencé à travailler sur ce projet à la fin des années 1980. Son but était non seulement de réaliser un trio cybernétique mais aussi d'enrichir ses compétences en travaillant sur un problème difficile. Kajitani pensait également que Mubot serait un outil utile pour les scientifiques qui étudient les instruments de musique.

La flute n'a subi aucune modification.

Les extrémités des doigts du robot sont semblables à des vraies.

WF3-RIX en duo avec un flûtiste humain

WF3-RIX jouant de la flute

Le flûtiste
Atsuo Takanishi, de l'université Waseda, au Japon, est convaincu que l'exécution musicale, avec ses exigences à la fois émotionnelles et mécaniques, peut faire progresser dans la création de robots humanoïdes plus aboutis. Son cyberflûtiste WF3-RIX joue d'une vraie flûte de manière expressive. Toutefois, cette expressivité n'est pas vraiment due à l'appareil : c'est un programmeur humain qui lui indique ce qu'il faut faire.

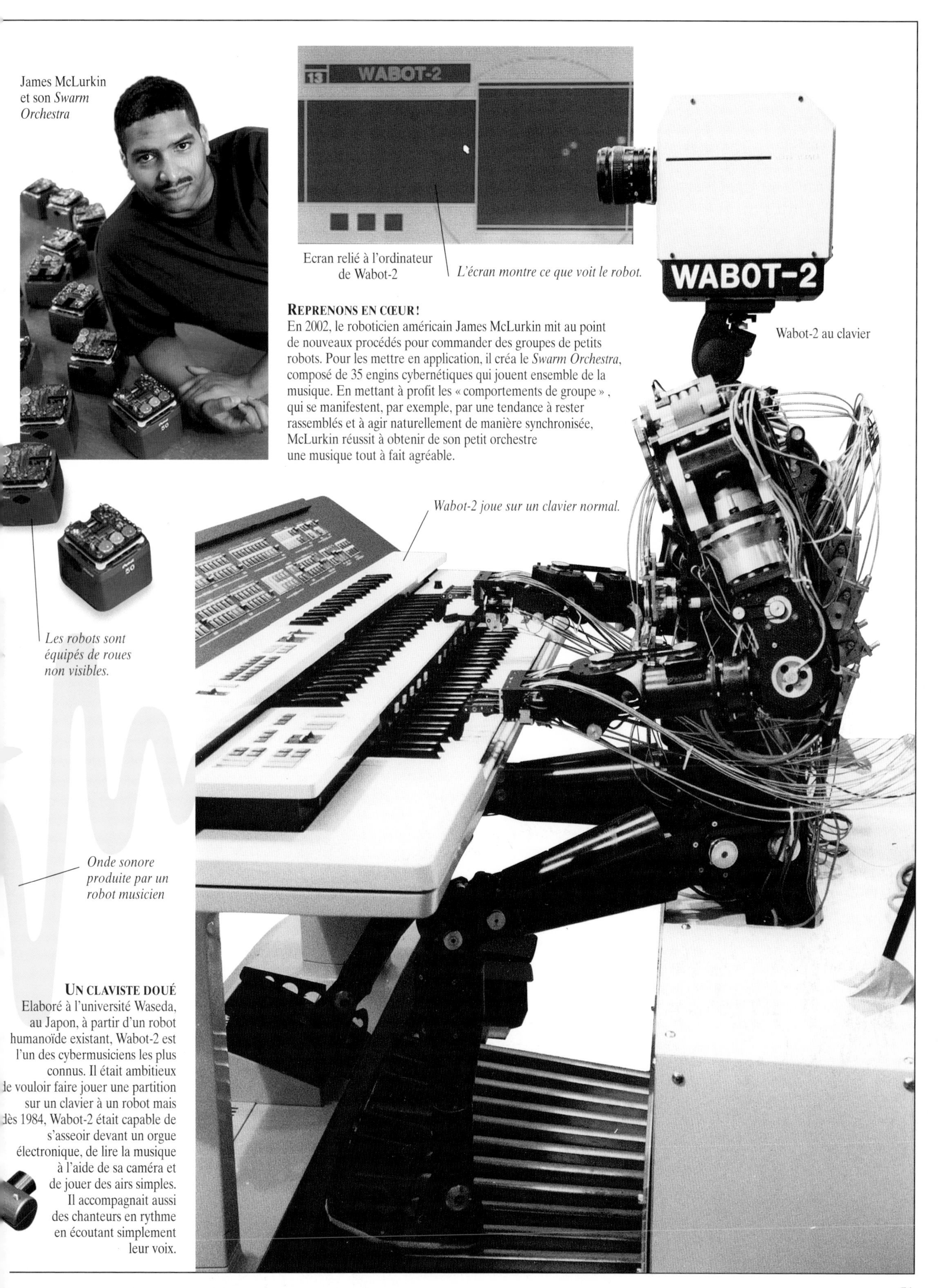

James McLurkin et son *Swarm Orchestra*

Ecran relié à l'ordinateur de Wabot-2

L'écran montre ce que voit le robot.

Wabot-2 au clavier

REPRENONS EN CŒUR !
En 2002, le roboticien américain James McLurkin mit au point de nouveaux procédés pour commander des groupes de petits robots. Pour les mettre en application, il créa le *Swarm Orchestra*, composé de 35 engins cybernétiques qui jouent ensemble de la musique. En mettant à profit les « comportements de groupe », qui se manifestent, par exemple, par une tendance à rester rassemblés et à agir naturellement de manière synchronisée, McLurkin réussit à obtenir de son petit orchestre une musique tout à fait agréable.

Wabot-2 joue sur un clavier normal.

Les robots sont équipés de roues non visibles.

Onde sonore produite par un robot musicien

UN CLAVISTE DOUÉ
Elaboré à l'université Waseda, au Japon, à partir d'un robot humanoïde existant, Wabot-2 est l'un des cybermusiciens les plus connus. Il était ambitieux de vouloir faire jouer une partition sur un clavier à un robot mais dès 1984, Wabot-2 était capable de s'asseoir devant un orgue électronique, de lire la musique à l'aide de sa caméra et de jouer des airs simples. Il accompagnait aussi des chanteurs en rythme en écoutant simplement leur voix.

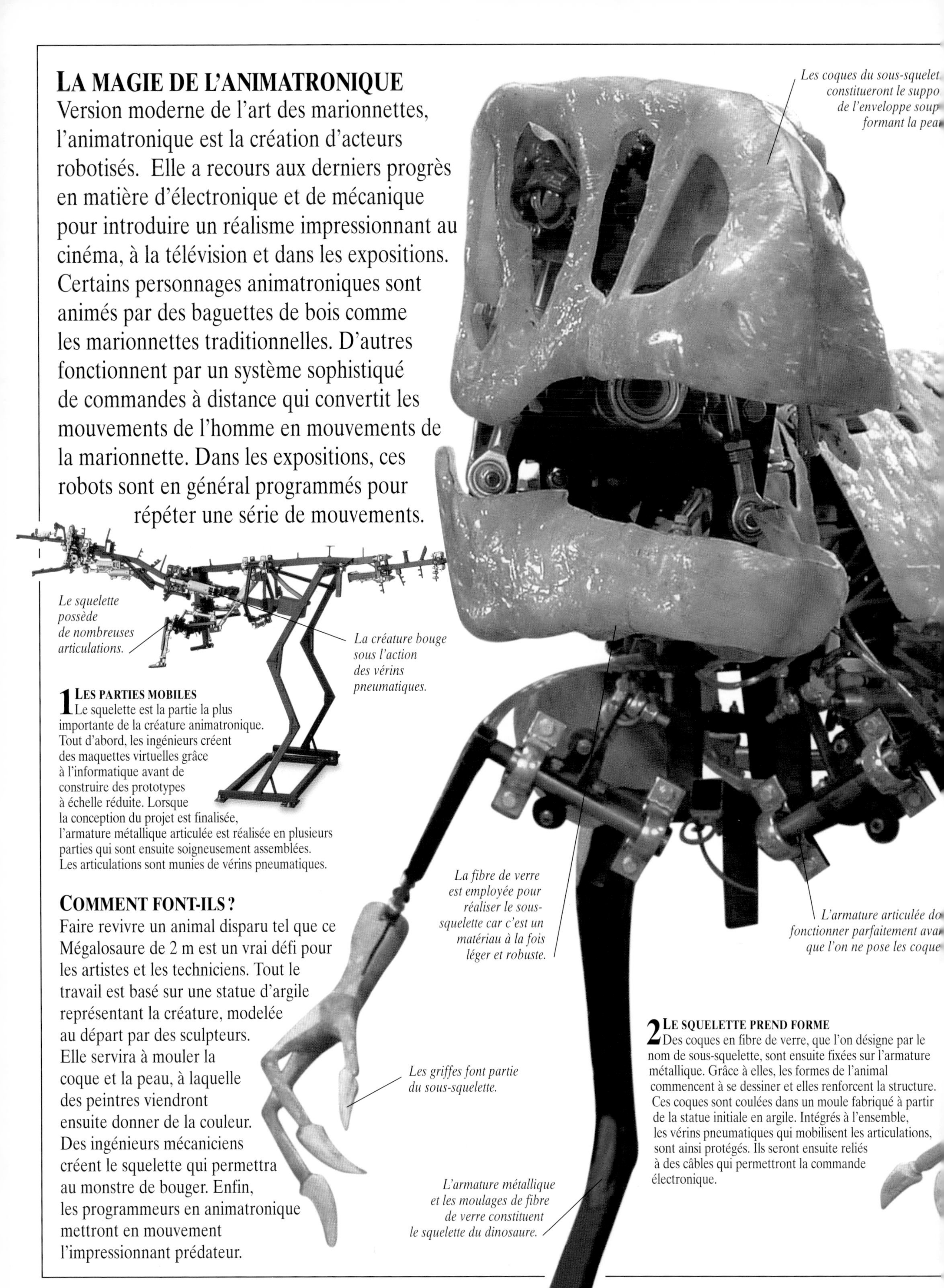

LA MAGIE DE L'ANIMATRONIQUE

Version moderne de l'art des marionnettes, l'animatronique est la création d'acteurs robotisés. Elle a recours aux derniers progrès en matière d'électronique et de mécanique pour introduire un réalisme impressionnant au cinéma, à la télévision et dans les expositions. Certains personnages animatroniques sont animés par des baguettes de bois comme les marionnettes traditionnelles. D'autres fonctionnent par un système sophistiqué de commandes à distance qui convertit les mouvements de l'homme en mouvements de la marionnette. Dans les expositions, ces robots sont en général programmés pour répéter une série de mouvements.

Les coques du sous-squelet constitueront le suppo de l'enveloppe soup formant la pea

Le squelette possède de nombreuses articulations.

La créature bouge sous l'action des vérins pneumatiques.

1 LES PARTIES MOBILES
Le squelette est la partie la plus importante de la créature animatronique. Tout d'abord, les ingénieurs créent des maquettes virtuelles grâce à l'informatique avant de construire des prototypes à échelle réduite. Lorsque la conception du projet est finalisée, l'armature métallique articulée est réalisée en plusieurs parties qui sont ensuite soigneusement assemblées. Les articulations sont munies de vérins pneumatiques.

La fibre de verre est employée pour réaliser le sous-squelette car c'est un matériau à la fois léger et robuste.

L'armature articulée do fonctionner parfaitement ava que l'on ne pose les coque

COMMENT FONT-ILS ?

Faire revivre un animal disparu tel que ce Mégalosaure de 2 m est un vrai défi pour les artistes et les techniciens. Tout le travail est basé sur une statue d'argile représentant la créature, modelée au départ par des sculpteurs. Elle servira à mouler la coque et la peau, à laquelle des peintres viendront ensuite donner de la couleur. Des ingénieurs mécaniciens créent le squelette qui permettra au monstre de bouger. Enfin, les programmeurs en animatronique mettront en mouvement l'impressionnant prédateur.

Les griffes font partie du sous-squelette.

L'armature métallique et les moulages de fibre de verre constituent le squelette du dinosaure.

2 LE SQUELETTE PREND FORME
Des coques en fibre de verre, que l'on désigne par le nom de sous-squelette, sont ensuite fixées sur l'armature métallique. Grâce à elles, les formes de l'animal commencent à se dessiner et elles renforcent la structure. Ces coques sont coulées dans un moule fabriqué à partir de la statue initiale en argile. Intégrés à l'ensemble, les vérins pneumatiques qui mobilisent les articulations, sont ainsi protégés. Ils seront ensuite reliés à des câbles qui permettront la commande électronique.

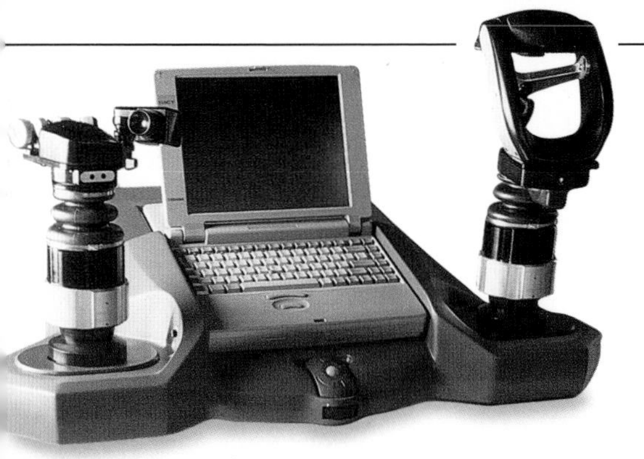

OUT EST SOUS CONTRÔLE
ertains personnages animatroniques sont animés grâce à des ystèmes tels que le PAC (*Performance Animation Controller*, ou contrôleur d'action animée ») qui permettent à une seule personne e commander plusieurs actions simultanées en convertissant les ouvements des mains et des doigts en signaux électroniques.

UN PETIT COCHON À PROBLÈMES
L'adaptation au cinéma du livre de Dick King-Smith, *Babe, le cochon devenu berger*, a représenté un véritable défi technologique. Le film, sorti en 1995, met en scène un petit cochon gardien de moutons qui est doué de parole. Il a fallu deux ans aux spécialistes pour mettre au point ce porcelet animatronique et le doter de toute une gamme d'expressions faciales.

Babe en compagnie de Ferdinand, le canard qui se prend pour un coq

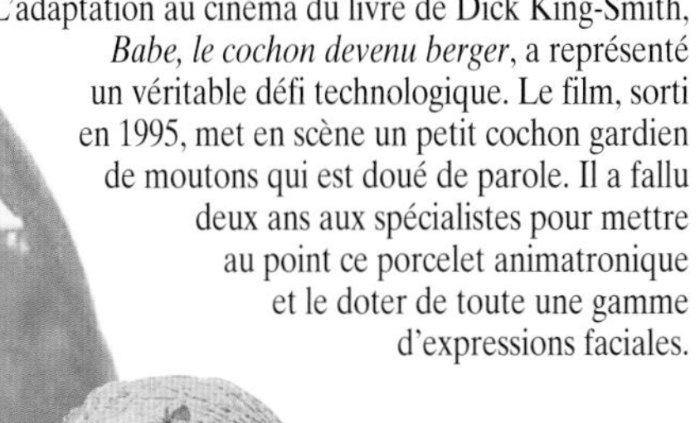

La peau est peinte à la main avec des couleurs et des motifs très réalistes inspirés de ceux des reptiles actuels.

L'enveloppe constituant la peau mesure environ 1 cm d'épaisseur.

Les dents sont moulées dans une résine plastique.

3 LE MONSTRE EST HABILLÉ
La peau est réalisée en latex ou en silicone. Elle est coulée dans le même moule que les coques du sous-squelette afin que les deux s'assemblent parfaitement. Cette peau élastique, dont la texture est parfaitement imitée, est ensuite tendue sur le squelette. La souplesse du matériau est essentielle pour obtenir un mouvement aussi vrai que nature.

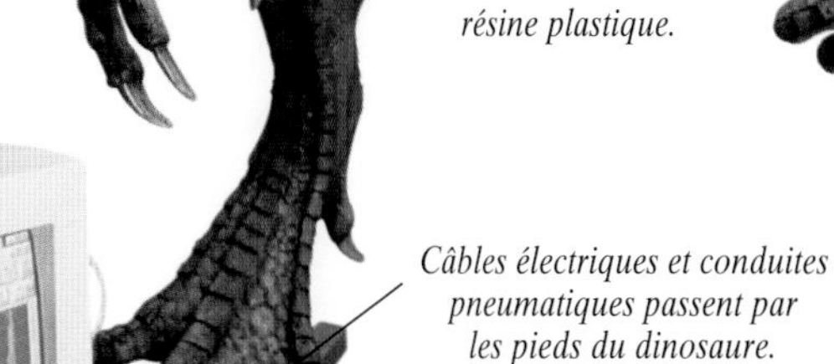

Câbles électriques et conduites pneumatiques passent par les pieds du dinosaure.

4 PRÊT POUR L'ACTION
Lorsque le squelette est entièrement gainé de son enveloppe élastique, on ajoute les détails tels que les dents et la langue, puis la peau est peinte. Enfin, les vérins sont reliés aux conduites pneumatiques et aux câbles de contrôle électronique afin de donner vie au dinosaure.

Feelix sourit et hausse les sourcils quand il est content.

UNE ÂME SIMPLE
Jakob Fredslund et Lola Cañamero de Lego-Lab, au Danemark, ont créé Feelix. Programmé pour réagir avec colère, plaisir ou crainte quand on touche ses pieds de différentes façons, c'est un robot assez simple mais il nous a beaucoup appris sur la façon dont l'homme réagit aux machines qui semblent faire preuve de sentiments.

DES MACHINES DOUÉES DE SENTIMENTS ?

« Objets inanimés, avez-vous donc une âme ? », s'interrogeait le poète Lamartine. Les roboticiens, quant à eux, ne cherchent pas à doter la matière inanimée d'une âme, mais simplement à construire des appareils qui agissent comme s'ils étaient capables de sentiments. Il s'agit en fait de répondre à un besoin : les machines devenant de plus en plus complexes et puissantes, il est nécessaire d'enrichir la gamme des possibilités dont elles disposent pour établir des relations avec les humains. L'homme acceptera plus facilement les robots dans sa vie de tous les jours s'il peut – ou croit pouvoir – communiquer avec eux émotionnellement.

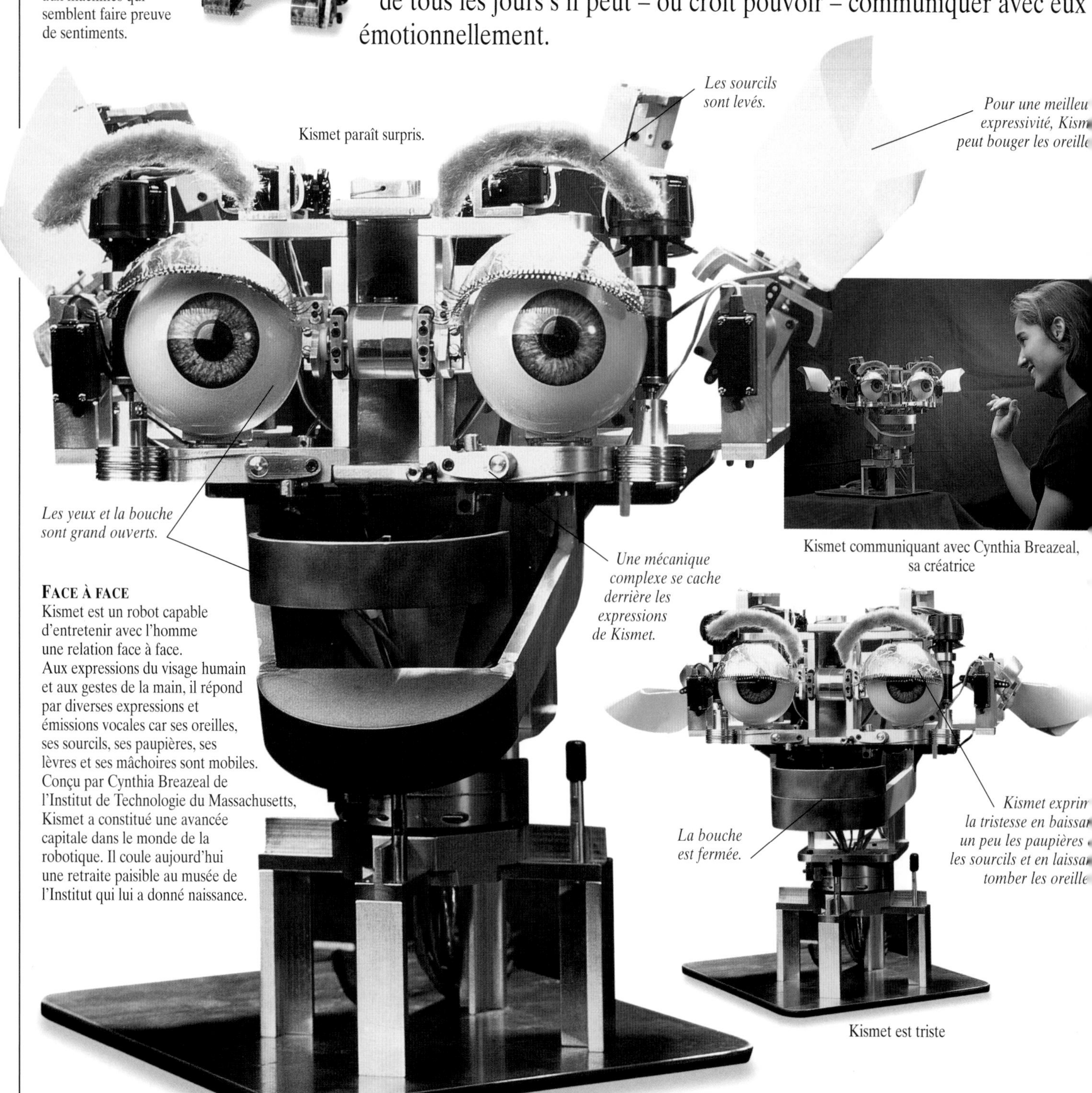

Kismet paraît surpris.

Les sourcils sont levés.

Pour une meilleure expressivité, Kismet peut bouger les oreilles.

Les yeux et la bouche sont grand ouverts.

Une mécanique complexe se cache derrière les expressions de Kismet.

Kismet communiquant avec Cynthia Breazeal, sa créatrice

La bouche est fermée.

Kismet exprime la tristesse en baissant un peu les paupières et les sourcils et en laissant tomber les oreilles.

Kismet est triste

FACE À FACE
Kismet est un robot capable d'entretenir avec l'homme une relation face à face. Aux expressions du visage humain et aux gestes de la main, il répond par diverses expressions et émissions vocales car ses oreilles, ses sourcils, ses paupières, ses lèvres et ses mâchoires sont mobiles. Conçu par Cynthia Breazeal de l'Institut de Technologie du Massachusetts, Kismet a constitué une avancée capitale dans le monde de la robotique. Il coule aujourd'hui une retraite paisible au musée de l'Institut qui lui a donné naissance.

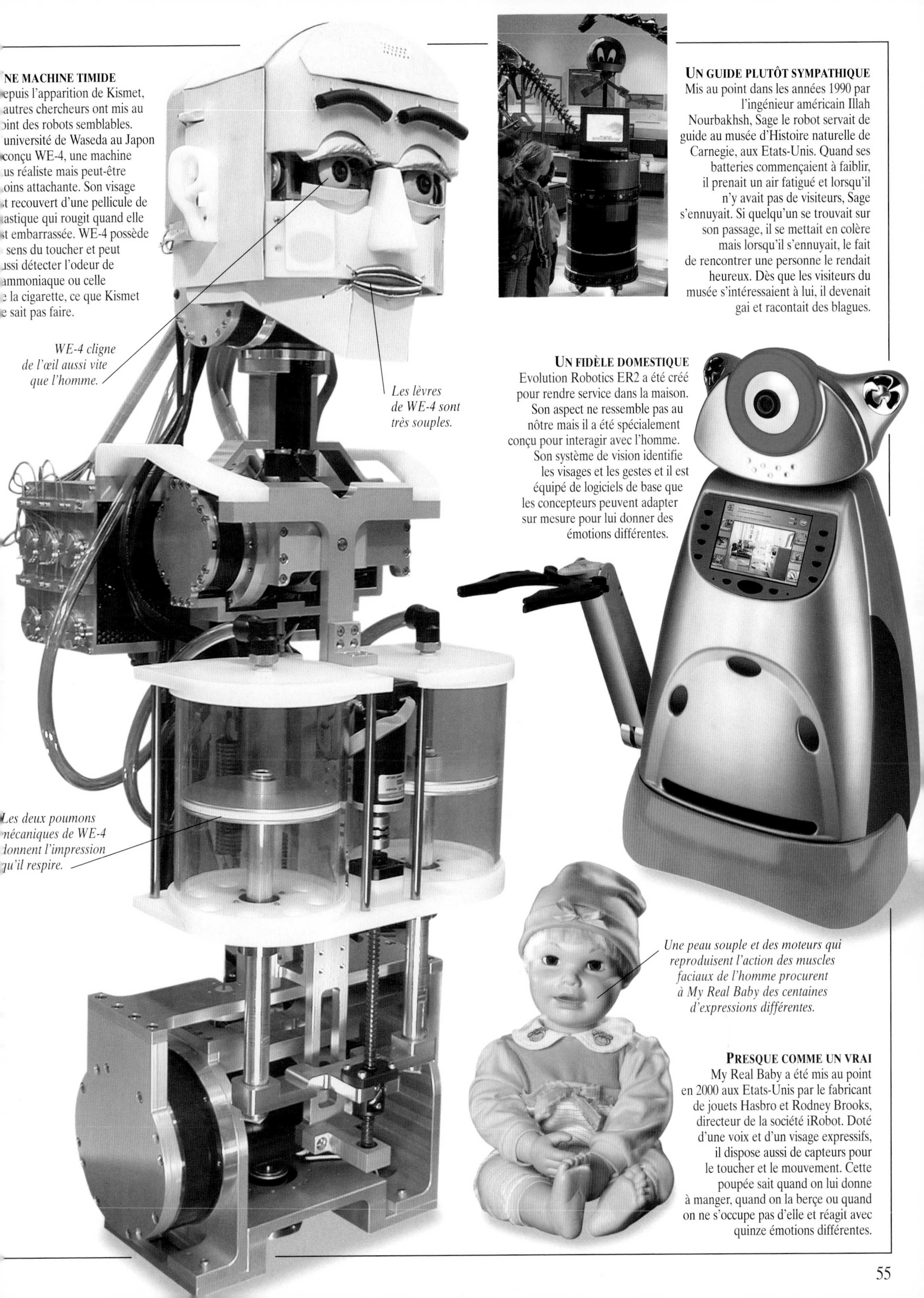

NE MACHINE TIMIDE
epuis l'apparition de Kismet, autres chercheurs ont mis au oint des robots semblables. université de Waseda au Japon conçu WE-4, une machine us réaliste mais peut-être oins attachante. Son visage t recouvert d'une pellicule de astique qui rougit quand elle t embarrassée. WE-4 possède sens du toucher et peut ussi détecter l'odeur de ammoniaque ou celle la cigarette, ce que Kismet e sait pas faire.

WE-4 cligne de l'œil aussi vite que l'homme.

Les lèvres de WE-4 sont très souples.

Les deux poumons mécaniques de WE-4 donnent l'impression qu'il respire.

UN GUIDE PLUTÔT SYMPATHIQUE
Mis au point dans les années 1990 par l'ingénieur américain Illah Nourbakhsh, Sage le robot servait de guide au musée d'Histoire naturelle de Carnegie, aux Etats-Unis. Quand ses batteries commençaient à faiblir, il prenait un air fatigué et lorsqu'il n'y avait pas de visiteurs, Sage s'ennuyait. Si quelqu'un se trouvait sur son passage, il se mettait en colère mais lorsqu'il s'ennuyait, le fait de rencontrer une personne le rendait heureux. Dès que les visiteurs du musée s'intéressaient à lui, il devenait gai et racontait des blagues.

UN FIDÈLE DOMESTIQUE
Evolution Robotics ER2 a été créé pour rendre service dans la maison. Son aspect ne ressemble pas au nôtre mais il a été spécialement conçu pour interagir avec l'homme. Son système de vision identifie les visages et les gestes et il est équipé de logiciels de base que les concepteurs peuvent adapter sur mesure pour lui donner des émotions différentes.

Une peau souple et des moteurs qui reproduisent l'action des muscles faciaux de l'homme procurent à My Real Baby des centaines d'expressions différentes.

PRESQUE COMME UN VRAI
My Real Baby a été mis au point en 2000 aux Etats-Unis par le fabricant de jouets Hasbro et Rodney Brooks, directeur de la société iRobot. Doté d'une voix et d'un visage expressifs, il dispose aussi de capteurs pour le toucher et le mouvement. Cette poupée sait quand on lui donne à manger, quand on la berçe ou quand on ne s'occupe pas d'elle et réagit avec quinze émotions différentes.

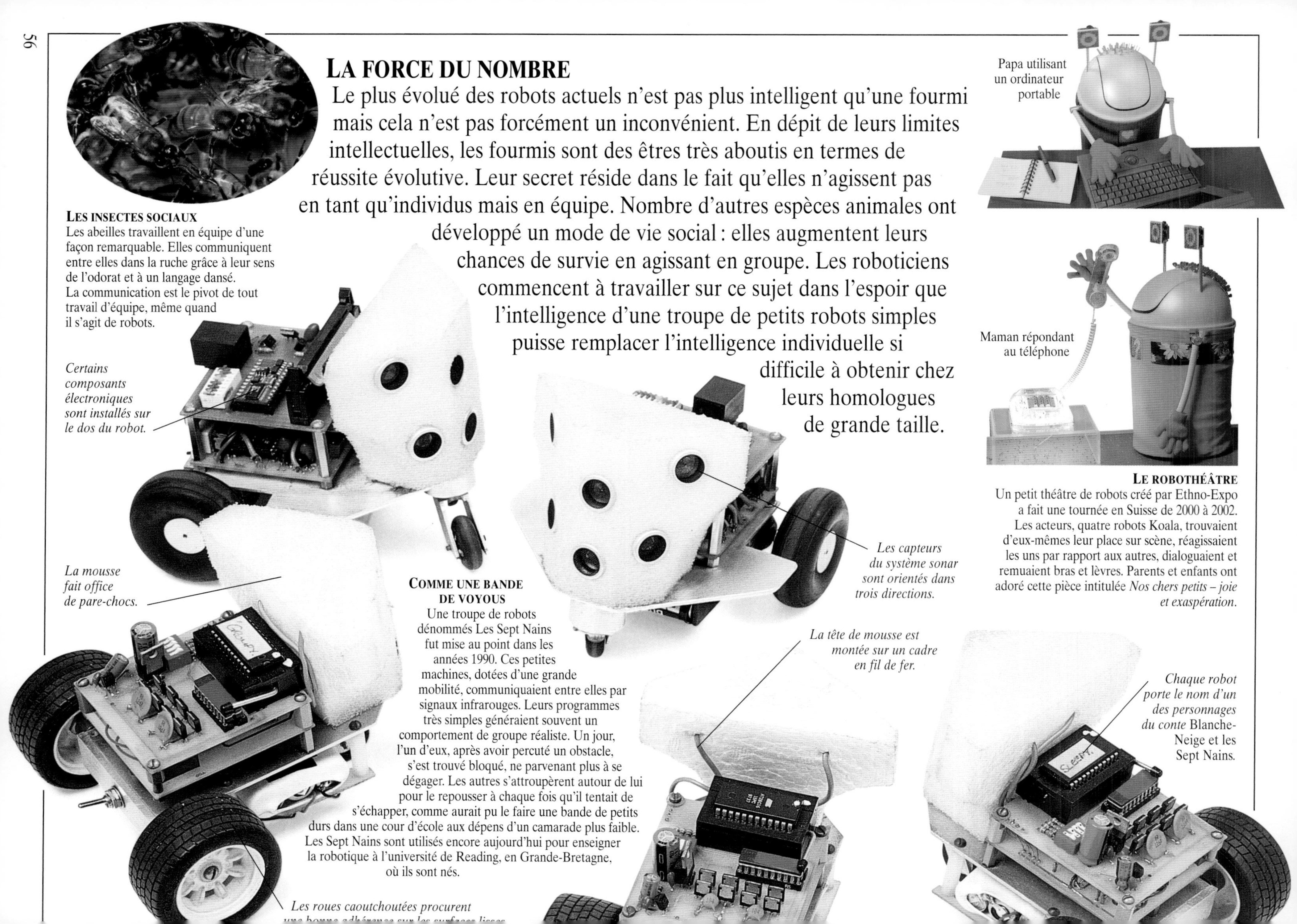

LA FORCE DU NOMBRE

Le plus évolué des robots actuels n'est pas plus intelligent qu'une fourmi mais cela n'est pas forcément un inconvénient. En dépit de leurs limites intellectuelles, les fourmis sont des êtres très aboutis en termes de réussite évolutive. Leur secret réside dans le fait qu'elles n'agissent pas en tant qu'individus mais en équipe. Nombre d'autres espèces animales ont développé un mode de vie social : elles augmentent leurs chances de survie en agissant en groupe. Les roboticiens commencent à travailler sur ce sujet dans l'espoir que l'intelligence d'une troupe de petits robots simples puisse remplacer l'intelligence individuelle si difficile à obtenir chez leurs homologues de grande taille.

LES INSECTES SOCIAUX
Les abeilles travaillent en équipe d'une façon remarquable. Elles communiquent entre elles dans la ruche grâce à leur sens de l'odorat et à un langage dansé. La communication est le pivot de tout travail d'équipe, même quand il s'agit de robots.

Certains composants électroniques sont installés sur le dos du robot.

La mousse fait office de pare-chocs.

COMME UNE BANDE DE VOYOUS
Une troupe de robots dénommés Les Sept Nains fut mise au point dans les années 1990. Ces petites machines, dotées d'une grande mobilité, communiquaient entre elles par signaux infrarouges. Leurs programmes très simples généraient souvent un comportement de groupe réaliste. Un jour, l'un d'eux, après avoir percuté un obstacle, s'est trouvé bloqué, ne parvenant plus à se dégager. Les autres s'attroupèrent autour de lui pour le repousser à chaque fois qu'il tentait de s'échapper, comme aurait pu le faire une bande de petits durs dans une cour d'école aux dépens d'un camarade plus faible. Les Sept Nains sont utilisés encore aujourd'hui pour enseigner la robotique à l'université de Reading, en Grande-Bretagne, où ils sont nés.

Les capteurs du système sonar sont orientés dans trois directions.

La tête de mousse est montée sur un cadre en fil de fer.

Chaque robot porte le nom d'un des personnages du conte Blanche-Neige et les Sept Nains.

Les roues caoutchoutées procurent

Papa utilisant un ordinateur portable

Maman répondant au téléphone

LE ROBOTHÉÂTRE
Un petit théâtre de robots créé par Ethno-Expo a fait une tournée en Suisse de 2000 à 2002. Les acteurs, quatre robots Koala, trouvaient d'eux-mêmes leur place sur scène, réagissaient les uns par rapport aux autres, dialoguaient et remuaient bras et lèvres. Parents et enfants ont adoré cette pièce intitulée *Nos chers petits – joie et exaspération*.

Un interrupteur permet d'éteindre chaque robot.

Des contacteurs servent à modifier le comportement de chaque machine.

Ce microprocesseur mémoire renferme le programme du robot.

Le châssis est réalisé en aluminium épais.

LE SAVOIR EN COMMUN
Les Tupperbots, construits à partir des boîtes alimentaires en plastique, ont été créés dans les années 1990 afin d'étudier si un groupe de robots pouvait évoluer comme un ensemble d'organismes vivants. Quand ils se rassemblent, les robots échangent des parties de leur programme informatique. Tout semble se passer comme si cela générait une sorte de super-programme qui fonctionne mieux et assure un meilleur succès à chaque individu du groupe. Des recherches sont actuellement en cours dans ce domaine.

Escouade de Millibots

Pradeep Khosla expliquant le fonctionnement d'un Millibot

UNE ARMÉE DE ROBOTS
Pradeep Khosla de l'université Carnegie Mellon est convaincu qu'une équipe de petits robots spécialisés peut souvent mieux faire qu'un individu unique. Il travaille sur une brigade de robots destinés à des missions de reconnaissance et de surveillance pour l'armée. Chaque petit Millibot est pourvu d'un capteur différent, tel qu'une caméra, une sonde thermique, etc. Les Millibots savent s'entraider pour franchir des obstacles.

MAIN DANS LA MAIN
Les Swarm-bots sont à l'étude en Belgique. Ces colonies cybernétiques sont constituées de petits individus autonomes appelés S-bots. Le but est de parvenir à faire communiquer une trentaine de S-bots entre eux pour qu'ils se regroupent afin de former un Swarm-bot qui pourra, par exemple, soulever de lourdes charges ou franchir des fossés.

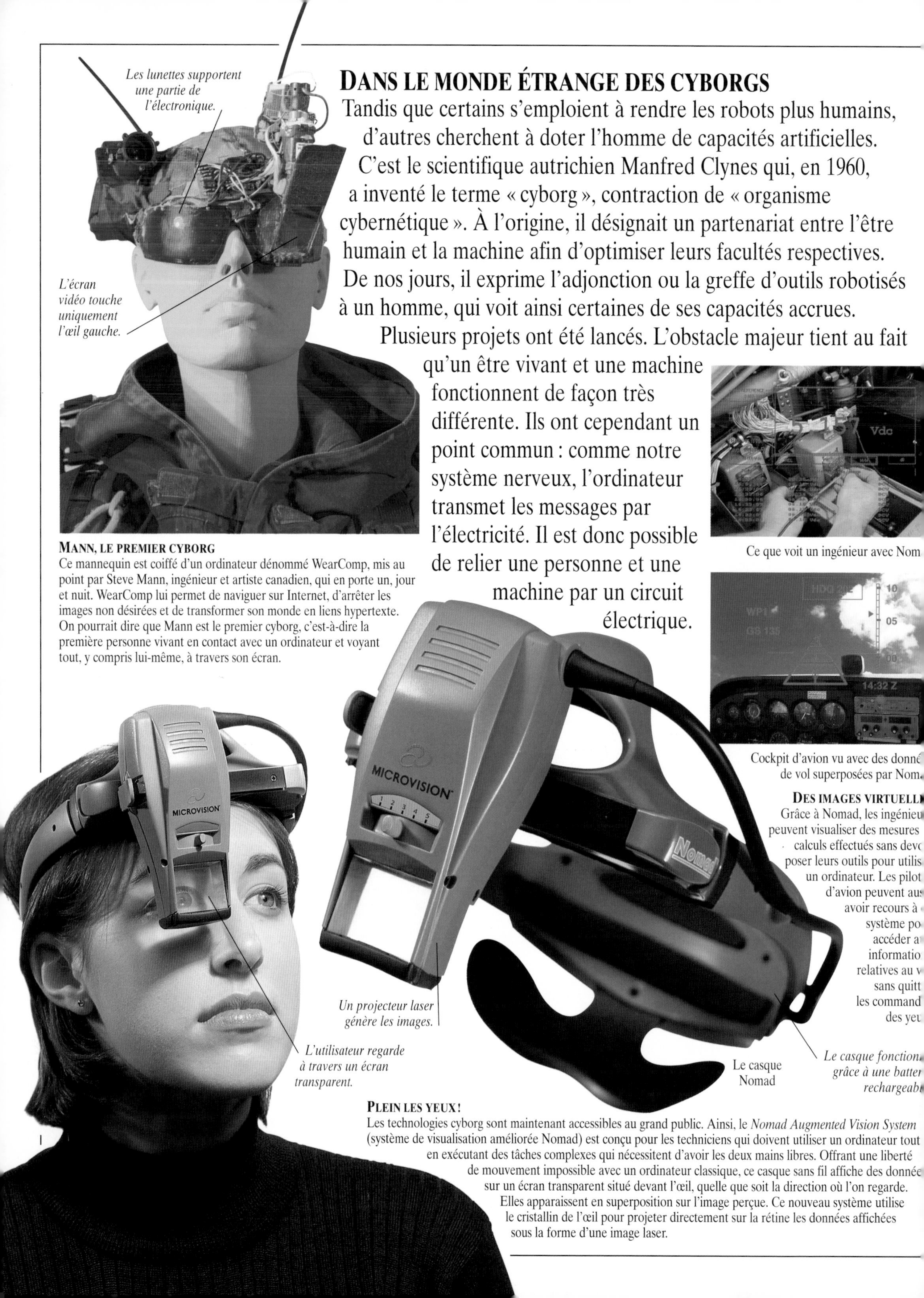
Les lunettes supportent une partie de l'électronique.
L'écran vidéo touche uniquement l'œil gauche.
Un projecteur laser génère les images.
L'utilisateur regarde à travers un écran transparent.
Le casque Nomad
Le casque fonction… grâce à une batter… rechargeab…
MICROVISION
Nomad
Vdc
WP1
GS 135
14:32 Z

DANS LE MONDE ÉTRANGE DES CYBORGS

Tandis que certains s'emploient à rendre les robots plus humains, d'autres cherchent à doter l'homme de capacités artificielles. C'est le scientifique autrichien Manfred Clynes qui, en 1960, a inventé le terme « cyborg », contraction de « organisme cybernétique ». À l'origine, il désignait un partenariat entre l'être humain et la machine afin d'optimiser leurs facultés respectives. De nos jours, il exprime l'adjonction ou la greffe d'outils robotisés à un homme, qui voit ainsi certaines de ses capacités accrues.

Plusieurs projets ont été lancés. L'obstacle majeur tient au fait qu'un être vivant et une machine fonctionnent de façon très différente. Ils ont cependant un point commun : comme notre système nerveux, l'ordinateur transmet les messages par l'électricité. Il est donc possible de relier une personne et une machine par un circuit électrique.

MANN, LE PREMIER CYBORG
Ce mannequin est coiffé d'un ordinateur dénommé WearComp, mis au point par Steve Mann, ingénieur et artiste canadien, qui en porte un, jour et nuit. WearComp lui permet de naviguer sur Internet, d'arrêter les images non désirées et de transformer son monde en liens hypertexte. On pourrait dire que Mann est le premier cyborg, c'est-à-dire la première personne vivant en contact avec un ordinateur et voyant tout, y compris lui-même, à travers son écran.

Ce que voit un ingénieur avec Nom…

Cockpit d'avion vu avec des donné… de vol superposées par Nom…

DES IMAGES VIRTUELL…
Grâce à Nomad, les ingénieu… peuvent visualiser des mesures … calculs effectués sans dev… poser leurs outils pour utilis… un ordinateur. Les pilot… d'avion peuvent au… avoir recours à … système po… accéder a… informatio… relatives au v… sans quitt… les command… des yeu…

PLEIN LES YEUX !
Les technologies cyborg sont maintenant accessibles au grand public. Ainsi, le *Nomad Augmented Vision System* (système de visualisation améliorée Nomad) est conçu pour les techniciens qui doivent utiliser un ordinateur tout en exécutant des tâches complexes qui nécessitent d'avoir les deux mains libres. Offrant une liberté de mouvement impossible avec un ordinateur classique, ce casque sans fil affiche des donnée… sur un écran transparent situé devant l'œil, quelle que soit la direction où l'on regarde. Elles apparaissent en superposition sur l'image perçue. Ce nouveau système utilise le cristallin de l'œil pour projeter directement sur la rétine les données affichées sous la forme d'une image laser.

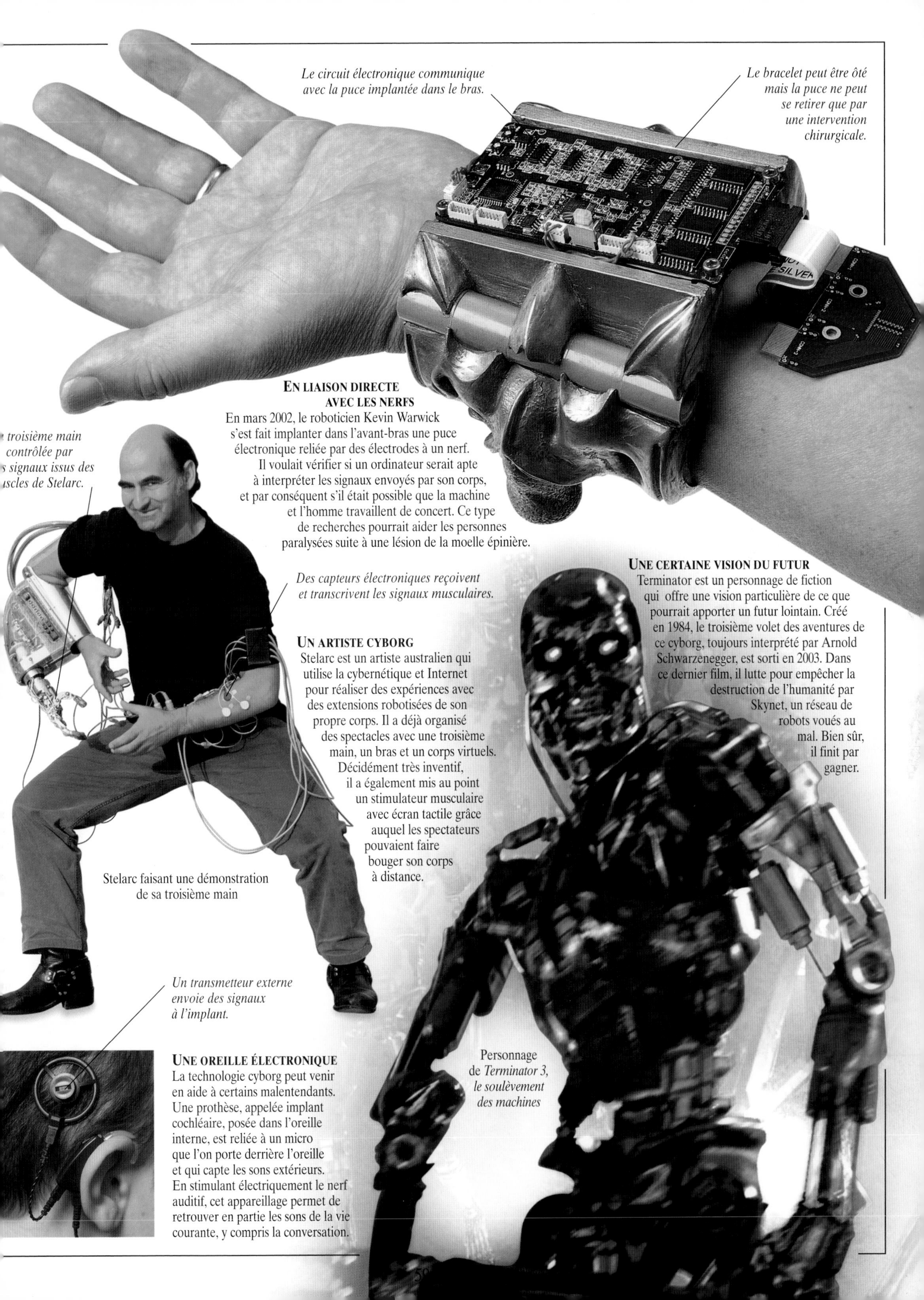

Le circuit électronique communique avec la puce implantée dans le bras.
Le bracelet peut être ôté mais la puce ne peut se retirer que par une intervention chirurgicale.
troisième main contrôlée par signaux issus des scles de Stelarc.
Des capteurs électroniques reçoivent et transcrivent les signaux musculaires.
Un transmetteur externe envoie des signaux à l'implant.

EN LIAISON DIRECTE AVEC LES NERFS

En mars 2002, le roboticien Kevin Warwick s'est fait implanter dans l'avant-bras une puce électronique reliée par des électrodes à un nerf. Il voulait vérifier si un ordinateur serait apte à interpréter les signaux envoyés par son corps, et par conséquent s'il était possible que la machine et l'homme travaillent de concert. Ce type de recherches pourrait aider les personnes paralysées suite à une lésion de la moelle épinière.

UN ARTISTE CYBORG

Stelarc est un artiste australien qui utilise la cybernétique et Internet pour réaliser des expériences avec des extensions robotisées de son propre corps. Il a déjà organisé des spectacles avec une troisième main, un bras et un corps virtuels. Décidément très inventif, il a également mis au point un stimulateur musculaire avec écran tactile grâce auquel les spectateurs pouvaient faire bouger son corps à distance.

Stelarc faisant une démonstration de sa troisième main

UNE CERTAINE VISION DU FUTUR

Terminator est un personnage de fiction qui offre une vision particulière de ce que pourrait apporter un futur lointain. Créé en 1984, le troisième volet des aventures de ce cyborg, toujours interprété par Arnold Schwarzenegger, est sorti en 2003. Dans ce dernier film, il lutte pour empêcher la destruction de l'humanité par Skynet, un réseau de robots voués au mal. Bien sûr, il finit par gagner.

Personnage de *Terminator 3, le soulèvement des machines*

UNE OREILLE ÉLECTRONIQUE

La technologie cyborg peut venir en aide à certains malentendants. Une prothèse, appelée implant cochléaire, posée dans l'oreille interne, est reliée à un micro que l'on porte derrière l'oreille et qui capte les sons extérieurs. En stimulant électriquement le nerf auditif, cet appareillage permet de retrouver en partie les sons de la vie courante, y compris la conversation.

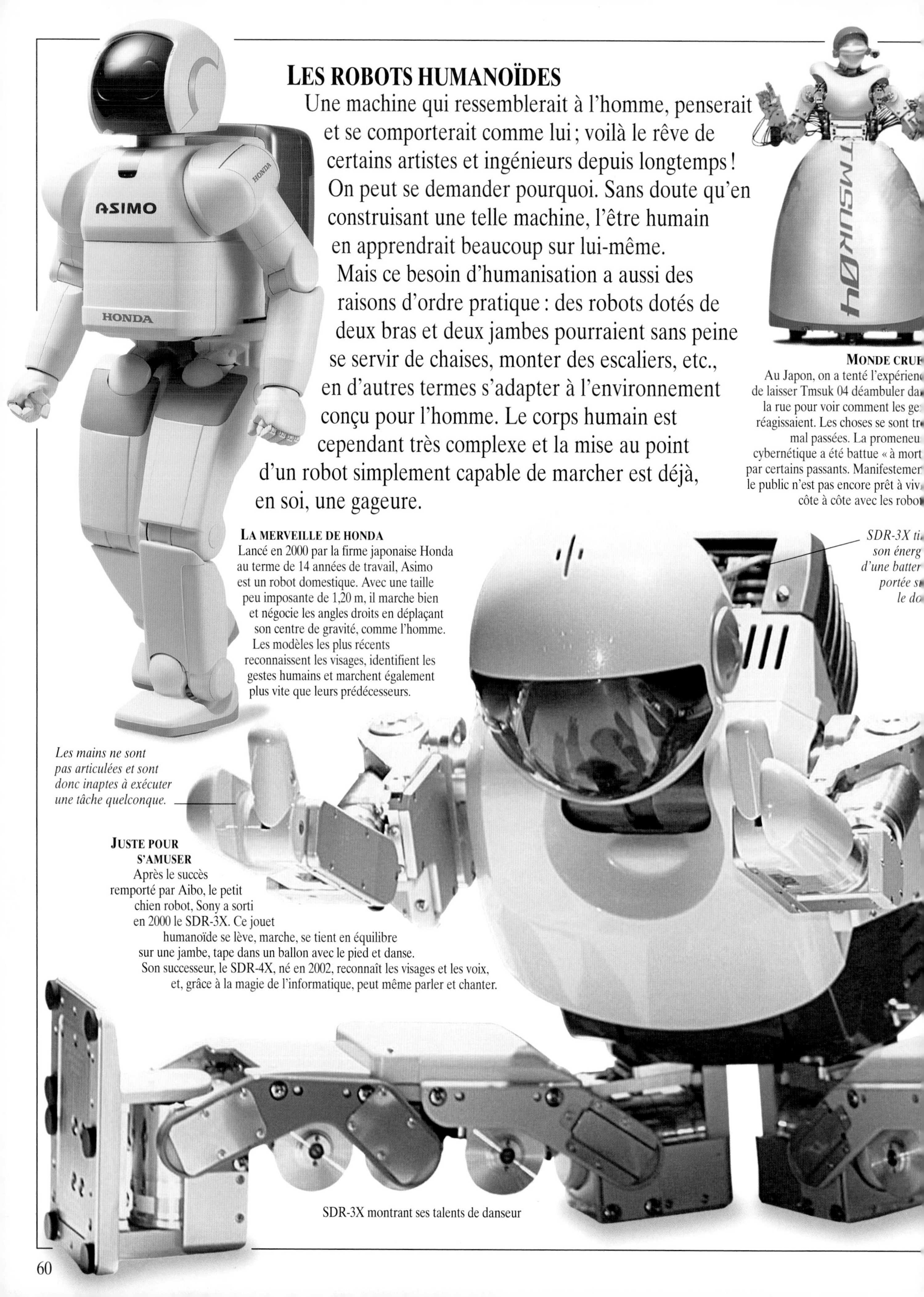

Les robots humanoïdes

Une machine qui ressemblerait à l'homme, penserait et se comporterait comme lui ; voilà le rêve de certains artistes et ingénieurs depuis longtemps ! On peut se demander pourquoi. Sans doute qu'en construisant une telle machine, l'être humain en apprendrait beaucoup sur lui-même. Mais ce besoin d'humanisation a aussi des raisons d'ordre pratique : des robots dotés de deux bras et deux jambes pourraient sans peine se servir de chaises, monter des escaliers, etc., en d'autres termes s'adapter à l'environnement conçu pour l'homme. Le corps humain est cependant très complexe et la mise au point d'un robot simplement capable de marcher est déjà, en soi, une gageure.

Monde cru
Au Japon, on a tenté l'expérien de laisser Tmsuk 04 déambuler da la rue pour voir comment les ge réagissaient. Les choses se sont tr mal passées. La promeneu cybernétique a été battue « à mort par certains passants. Manifestemer le public n'est pas encore prêt à viv côte à côte avec les robot

La merveille de Honda
Lancé en 2000 par la firme japonaise Honda au terme de 14 années de travail, Asimo est un robot domestique. Avec une taille peu imposante de 1,20 m, il marche bien et négocie les angles droits en déplaçant son centre de gravité, comme l'homme. Les modèles les plus récents reconnaissent les visages, identifient les gestes humains et marchent également plus vite que leurs prédécesseurs.

SDR-3X ti son énerg d'une batter portée s le do

Les mains ne sont pas articulées et sont donc inaptes à exécuter une tâche quelconque.

Juste pour s'amuser
Après le succès remporté par Aibo, le petit chien robot, Sony a sorti en 2000 le SDR-3X. Ce jouet humanoïde se lève, marche, se tient en équilibre sur une jambe, tape dans un ballon avec le pied et danse. Son successeur, le SDR-4X, né en 2002, reconnaît les visages et les voix, et, grâce à la magie de l'informatique, peut même parler et chanter.

SDR-3X montrant ses talents de danseur

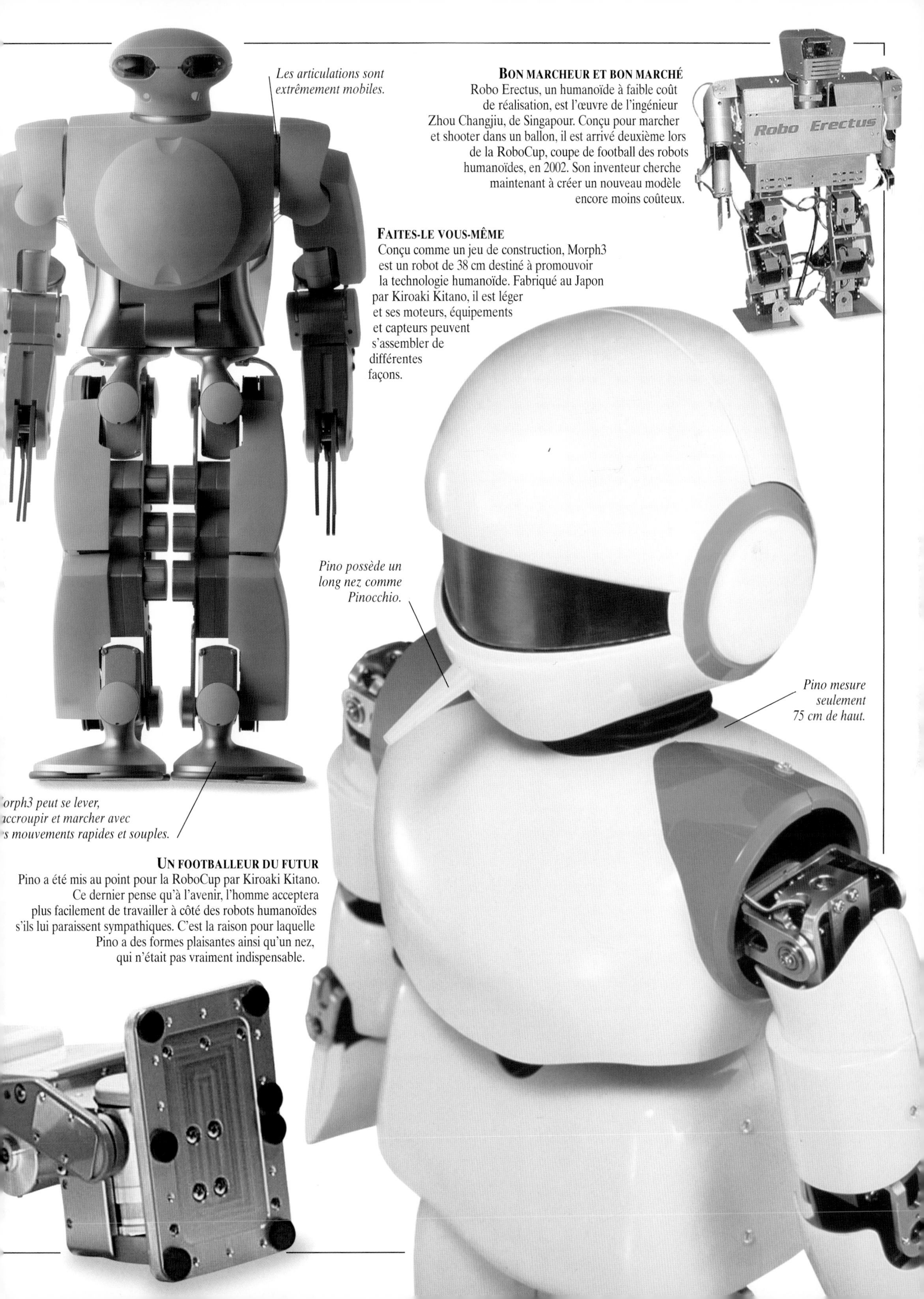

Les articulations sont extrêmement mobiles.

BON MARCHEUR ET BON MARCHÉ
Robo Erectus, un humanoïde à faible coût de réalisation, est l'œuvre de l'ingénieur Zhou Changjiu, de Singapour. Conçu pour marcher et shooter dans un ballon, il est arrivé deuxième lors de la RoboCup, coupe de football des robots humanoïdes, en 2002. Son inventeur cherche maintenant à créer un nouveau modèle encore moins coûteux.

FAITES-LE VOUS-MÊME
Conçu comme un jeu de construction, Morph3 est un robot de 38 cm destiné à promouvoir la technologie humanoïde. Fabriqué au Japon par Kiroaki Kitano, il est léger et ses moteurs, équipements et capteurs peuvent s'assembler de différentes façons.

Pino possède un long nez comme Pinocchio.

Pino mesure seulement 75 cm de haut.

orph3 peut se lever, accroupir et marcher avec s mouvements rapides et souples.

UN FOOTBALLEUR DU FUTUR
Pino a été mis au point pour la RoboCup par Kiroaki Kitano. Ce dernier pense qu'à l'avenir, l'homme acceptera plus facilement de travailler à côté des robots humanoïdes s'ils lui paraissent sympathiques. C'est la raison pour laquelle Pino a des formes plaisantes ainsi qu'un nez, qui n'était pas vraiment indispensable.

QUE NOUS RÉSERVE L'AVENIR ?

Personne ne peut prédire où nous mènera la robotique. Même les experts ne sont pas d'accord sur ce point. Certains disent que nous verrons un jour des machines dotées de la capacité de prendre seules des décisions importantes. Mais en aucun cas il ne saurait être question d'arriver à la réalisation de véritables hommes artificiels. En effet, outre les capacités physiques exceptionnelles de l'homme et du monde vivant en général, l'intelligence humaine n'est pas reproductible par un ordinateur. Cela n'interdit pas la réalisation de robots très utiles et souvent plus efficaces que l'homme dans des travaux spécifiques et variés, et manifestant une excellente convivialité avec leur maître.

La « tenue » du HRP-2 peut être changée en cas de besoin.

IMPRESSIONNANTE MÉCANIQUE !
Voici à quoi pourrait ressembler l'ouvrier du futur. Revêtu de sa tenue Mecha 2003, HRP-2 est fabriqué par la société Kawada Industries, au Japon. Le but est de produire un robot capable de travailler sur un chantier de construction. Haut de 1,54 m, HRP-2 est l'un des deux seuls robots humanoïdes actuels capables de se relever sans aide lorsqu'ils tombent.

Les chevilles articulées procurent une marche souple.

Les ailes peuvent être fabriquées dans une feuille de métal ultrafine.

LA VOIE DES INSECTE
Les nouvelles connaissances que nous acquérons ouvrent la vo à d'autres inventions cybernétiques. Par exemple, des scientifiqu ont récemment découvert comment fonctionnent vraiment les ail des insectes, tandis que des ingénieurs travaillent sur la nanotechnologi c'est-à-dire la fabrication d'objets minuscules. Ensemble, ils pourraien à l'avenir, produire des robots de la taille d'un insecte dont certains seraie aussi impressionnants que cette guêpe en image de synthès

Organismes nuisibles rencontrés par le nanorobot

DANS LE SAN
La nanotechnologie pourra permettre de grands progr médicaux dans l'avenir. D nanorobots, assez petits po se déplacer dans les vaissea sanguins, armés de substanc chimiques, pourraient êt injectés dans le corps po détruire bactéries et vir mortels. Il serait mên possible de les programm pour se regrouper une fois mission accomplie et ressor du corps en un point don afin de les réutilise

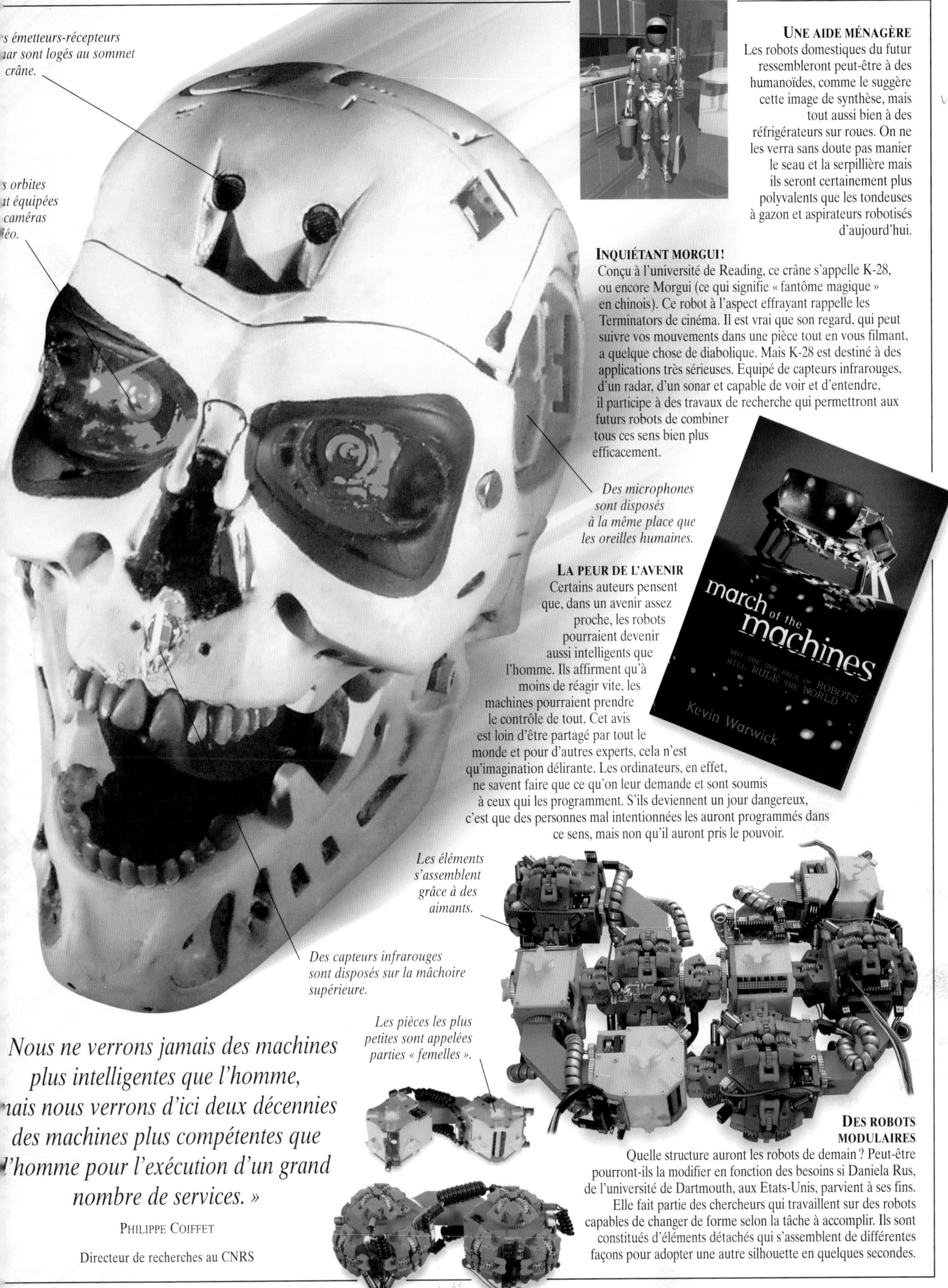

…s émetteurs-récepteurs …ar sont logés au sommet … crâne.

…s orbites …t équipées … caméras …éo.

Des microphones sont disposés à la même place que les oreilles humaines.

Des capteurs infrarouges sont disposés sur la mâchoire supérieure.

Les éléments s'assemblent grâce à des aimants.

Les pièces les plus petites sont appelées parties « femelles ».

UNE AIDE MÉNAGÈRE
Les robots domestiques du futur ressembleront peut-être à des humanoïdes, comme le suggère cette image de synthèse, mais tout aussi bien à des réfrigérateurs sur roues. On ne les verra sans doute pas manier le seau et la serpillière mais ils seront certainement plus polyvalents que les tondeuses à gazon et aspirateurs robotisés d'aujourd'hui.

INQUIÉTANT MORGUI !
Conçu à l'université de Reading, ce crâne s'appelle K-28, ou encore Morgui (ce qui signifie « fantôme magique » en chinois). Ce robot à l'aspect effrayant rappelle les Terminators de cinéma. Il est vrai que son regard, qui peut suivre vos mouvements dans une pièce tout en vous filmant, a quelque chose de diabolique. Mais K-28 est destiné à des applications très sérieuses. Equipé de capteurs infrarouges, d'un radar, d'un sonar et capable de voir et d'entendre, il participe à des travaux de recherche qui permettront aux futurs robots de combiner tous ces sens bien plus efficacement.

LA PEUR DE L'AVENIR
Certains auteurs pensent que, dans un avenir assez proche, les robots pourraient devenir aussi intelligents que l'homme. Ils affirment qu'à moins de réagir vite, les machines pourraient prendre le contrôle de tout. Cet avis est loin d'être partagé par tout le monde et pour d'autres experts, cela n'est qu'imagination délirante. Les ordinateurs, en effet, ne savent faire que ce qu'on leur demande et sont soumis à ceux qui les programment. S'ils deviennent un jour dangereux, c'est que des personnes mal intentionnées les auront programmés dans ce sens, mais non qu'il auront pris le pouvoir.

Nous ne verrons jamais des machines plus intelligentes que l'homme, …ais nous verrons d'ici deux décennies des machines plus compétentes que …'homme pour l'exécution d'un grand nombre de services. »

PHILIPPE COIFFET

Directeur de recherches au CNRS

DES ROBOTS MODULAIRES
Quelle structure auront les robots de demain ? Peut-être pourront-ils la modifier en fonction des besoins si Daniela Rus, de l'université de Dartmouth, aux Etats-Unis, parvient à ses fins. Elle fait partie des chercheurs qui travaillent sur des robots capables de changer de forme selon la tâche à accomplir. Ils sont constitués d'éléments détachés qui s'assemblent de différentes façons pour adopter une autre silhouette en quelques secondes.

LE SAVIEZ-VOUS ?

DES INFORMATIONS PASSIONNANTES

Une grue robotisée en Australie

Le plus grand robot du monde mesure 75 m de haut. Il s'agit d'une grue équipée d'une vision laser, utilisée dans une mine de charbon en Australie. Elle peut traiter 4000 tonnes de minéraux à l'heure.

Asimo, le robot humanoïde de Honda

Le robot qui possède les mains les plus rapides du monde a été mis au point en 2002 à l'université de Tokyo au Japon. Il produit 1000 images et 1000 calculs à la seconde, ce qui lui permet d'attraper une balle qui tombe à la vitesse de 4 mètres par seconde.

Ika-saku, fabriqué par la compagnie japonaise Mayekawa en 2003, découpe les calmars (un mets très prisé des Japonais) de façon rapide et hygiénique. Il les vide et découpe le corps et les tentacules en lanières qui seront ensuite séchées ou fumées.

La dernière version d'Asimo (acronyme de *Advanced Step in Innovative MObility*, que l'on peut traduire par « projet avancé en mobilité innovante »), le robot humanoïde intelligent créé par la firme Honda, a maintenant accès à Internet. Il peut donc réagir immédiatement en fonction des nouvelles ou de la météo, par exemple.

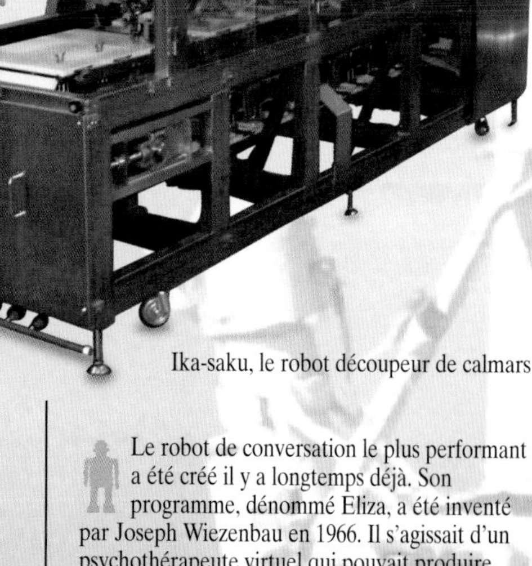

Ika-saku, le robot découpeur de calmars

Les robots remplacent d'ores et déjà les pompiers dans les situations les plus dangereuses. Né au Royaume-Uni, Carlos est assez petit pour être transporté dans une fourgonnette et néanmoins assez puissant pour tirer 50 m de tuyau rempli d'eau jusqu'au cœur d'un incendie.

Astroboy est un robot de fiction déjà ancien. Inventé en 1951 par Osamu Tezuka, un créateur de dessins animés japonais, il s'appelait à l'origine Tetsuwan Atomu, c'est-à-dire « Puissant Atome ». On l'a vu récemment dans une série télévisée en 2003 et au cinéma en 2004.

Un crustacé d'eau douce australien pourrait contribuer à faire évoluer la capacité des robots à explorer les planètes lointaines. Les scientifiques étudient une écrevisse appelée yabbi *(Cheerax destructor)*. Cet animal, bien que limité en intelligence, explore son environnement à l'aide d'antennes « sensibles », de pinces, de pattes articulées et d'une nageoire caudale puissante. Les chercheurs veulent s'inspirer de son fonctionnement pour construire les futurs robots qui iront sur Mars.

Il existe désormais un kit capable de transformer n'importe quel ordinateur portable en robot. Il s'agit d'une plateforme munie de roulettes et d'une caméra, sur laquelle l'ordinateur peut être fixé. L'ensemble, fourni avec son logiciel d'intelligence artificielle, peut être commandé à distance et sait répondre à des ordres vocaux.

Le robot de conversation le plus performant a été créé il y a longtemps déjà. Son programme, dénommé Eliza, a été inventé par Joseph Wiezenbau en 1966. Il s'agissait d'un psychothérapeute virtuel qui pouvait produire, grâce à quelques astuces simples, un dialogue convaincant. Nombreux étaient ceux qui préféraient se confier à Eliza plutôt qu'à un vrai médecin.

En 2001, l'artiste américain Paul Guinan a lancé un site internet pour révéler qu'il avait découvert un soldat mécanique à vapeur, Boilerplate, censé avoir été inventé en 1893. Il est bien évident que la technologie de l'époque ne permettait pas ce genre de choses, mais ce canular a quand même trompé son monde.

Boilerplate, prétendu robot de l'époque victorienne

QUESTIONS / RÉPONSES

Combien existe-t-il de robots au monde ?

Cela dépend ce que l'on entend par robot. Le nombre de petits robots mobiles ainsi que de modèles expérimentaux est inconnu. En revanche, on sait qu'il existe actuellement environ un million de robots industriels et leur nombre augmente vite. Il s'agit surtout de bras en poste fixe sur les chaînes de production. Il y a donc dans le monde un robot pour 6000 personnes.

L'intelligence artificielle servira-t-elle un jour ?

Elle sert déjà. Par exemple, lorsque vous faites des achats sur Internet, faites attention aux cookies ! Ils servent à des programmes d'intelligence artificielle utilisés par les vendeurs pour tenter de deviner ce que le consommateur sera susceptible d'acheter demain à partir de ce qu'il choisit aujourd'hui. Ce marché progresse de 12% par an et pourrait atteindre le chiffre de 19 milliards d'euros en 2007. Actuellement, l'intelligence artificielle reste limitée à des problèmes spécifiques ; la gestion de situations complexes reste encore hors de sa portée.

Quel est actuellement le robot le plus humain ?

Si l'on parle de l'aspect humain et de la qualité de mouvements tels que la marche sur deux jambes, Asimo de Honda et SDR-4X de Sony sont probablement les plus performants. Wakamaru de Mitsubishi, s'il ressemble moins à l'homme, est sans doute plus humain par d'autres aspects. Conçu pour l'aide aux personnes âgées, il connaît 10000 mots et réagit de façon appropriée à différentes situations pouvant survenir dans une maison, en appelant même les secours si besoin.

Les robots sont-ils capables de sentiments ou d'émotions ?

Il s'agit là d'une question difficile sur laquelle beaucoup de chercheurs travaillent actuellement. Il est tout à fait possible de fabriquer un robot qui semble faire preuve de certaines émotions et qui se comporte comme s'il avait des sentiments. On y parvient en écrivant un programme qui, en fonction de ce qui lui arrive, suscite chez le robot une réaction de joie, de tristesse, de colère ou de timidité. Mais ces réactions ne sont pas le produit d'une véritable pensée.

Combien faut-il de temps pour construire un robot de combat ? Est-ce coûteux ?

Si l'on veut qu'ils survivent aux compétitions, les robots de combat doivent être extrêmement bien conçus et fabriqués. En général, il faut six mois pour les créer mais certains nécessitent parfois quatre années d'études. Tout cela coûte évidemment très cher. Même si des modèles moins coûteux ont pu gagner certains matchs, la facture s'élève environ à près de 5000 euros en moyenne.

Amoebot, le robot le plus lent du monde

Est-il difficile d'inventer un robot ?

Il a fallu plusieurs années à des centaines d'ingénieurs pour concevoir des robots célèbres tels qu'Asimo mais une seule personne peut aussi fabriquer un automate intéressant en quelques semaines. Si cela vous tente, le plus simple est de commencer par un kit. Plus tard, vous pourrez créer votre propre modèle grâce aux connaissances que vous aurez acquises.

Est-ce que les robots mettent des ouvriers au chômage ?

Cela serait vrai s'ils remplaçaient simplement les ouvriers de l'industrie. En réalité, ils accroissent la productivité, ce qui est source d'économie dans les usines. Cet argent est en grande partie réinvesti pour développer les affaires, ce qui crée de nouveaux emplois occupés par des hommes qui font tout ce que les robots ne savent pas faire.

Des robots intelligents risquent-ils, un jour, de prendre le pouvoir ?

L'intelligence humaine est impossible à reproduire par ordinateur. Les robots ne pourront donc pas prendre le pouvoir par eux-mêmes ; ce ne sont pas eux qui commandent mais ceux qui les programment. En revanche, des gens mal intentionnés pourraient les amener à être dangereux.

QUELQUES RECORDS

LE ROBOT LE PLUS LENT DU MONDE
Amoebot, né à Singapour, est constitué de ballons qui se gonflent et se dégonflent, le faisant ainsi avancer lentement dans l'eau. Avec une vitesse maximale de 1 cm à la minute, c'est le robot le plus lent du monde.

LE ROBOT AU PLUS GROS CERVEAU
Inventé par Hugo de Garis en 1999, Robokoneko, qui a l'aspect d'un chaton, possède le plus gros cerveau de tous les robots avec 37,7 millions de cellules cérébrales artificielles.

LE ROBOT LE MOINS COÛTEUX
En matière de fabrication la moins coûteuse, le record est détenu par le robot Walkman, réalisé avec des pièces détachées de chaîne stéréo au Los Alamos National Laboratory, aux Etats-Unis pour l'équivalent de 1,64 euro.

LE ROBOT LE PLUS PETIT DU MONDE
Le plus petit robot vendu dans le monde est Monsieur II-P de la firme Seiko. Créé en 2002 par le fabricant japonais de montres, il pèse 12,5 g, avance de 15 cm par seconde et sait même danser.

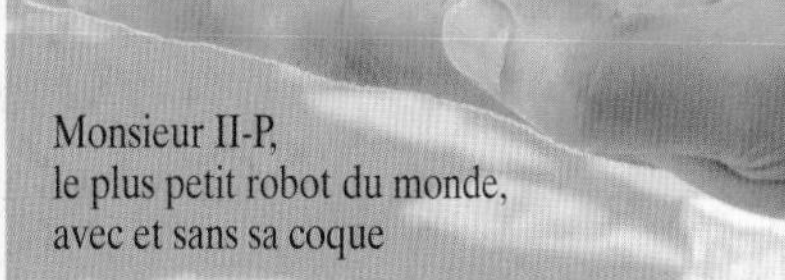

Monsieur II-P, le plus petit robot du monde, avec et sans sa coque

UNE CHRONOLOGIE DE L'HISTOIRE DES ROBOTS

Si l'histoire de la robotique pure est récente, elle repose sur des milliers d'années de progrès techniques et des inventions capitales, comme celle de la roue, par exemple. Les premiers automates, qui virent le jour beaucoup plus tard, étaient destinés à distraire. Lorsque l'électronique se développa, elle permit aux inventeurs de fabriquer des robots « intelligents » qui pouvaient, dans certains cas, remplacer l'homme. Mais les machines qui posséderont toutes les facultés humaines sont encore un rêve lointain.

La coque en Perspex protège la mécanique et l'électronique internes.

La tortue robot de W. Grey Walter

VERS 3500 AV. J.-C. – LA ROUE
En Mésopotamie (aujourd'hui l'Irak), à partir du tour du potier, on invente la roue. Auparavant, les chariots étaient tirés sur des patins.

VERS 400 AV. J.-C. – L'OISEAU-ROBOT
Le philosophe Archytas de Tarente fabrique un pigeon en bois qui simule le vol. Il se déplace dans les airs sur un bras tournant grâce à la force de l'eau ou de la vapeur. On attribue aussi l'invention de la vis à Archytas de Tarente.

VERS 270 AV. J.-C. – L'ÉNERGIE PNEUMATIQUE
Le savant grec Ctesibius d'Alexandrie découvre que l'air comprimé peut servir à actionner une machine.

VERS 1500 – LA MUSIQUE AUTOMATIQUE
Apparition des premiers instruments pouvant jouer de la musique sans l'aide de l'homme. Ils sont équipés d'un cylindre muni de pointes qui font basculer des touches. Ces touches ouvrent les soupapes des tuyaux d'étain d'un système d'orgues.

Illustration représentant Jacques de Vaucanson travaillant à son canard mécanique

1533 – LA LÉGENDE DE L'INSECTE ET DE L'AIGLE QUI VOLENT
Dans son atelier de Nuremberg, Johann Müller, l'érudit allemand connu aussi sous le nom de Regiomontanus, invente un insecte en fer et un aigle mécanique. On rapporte que tous deux pouvaient réellement voler.

VERS 1600 – LA RÉGULATION AUTOMATIQUE
L'ingénieur néerlandais Cornelis Drebbel invente le thermostat. Premier système de régulation automatique, cet appareil mécanique maintenait constante la température à l'intérieur d'un incubateur que Drebbel utilisait pour ses expériences d'alchimie.

1725 – LES ACTEURS ANIMÉS
À Heilbrunn en Allemagne, l'artisan Lorenz Rosenegge crée un théâtre mécanique. Il met en scène 119 figurines animées qui jouent une pièce sur la vie villageoise au son d'un orgue hydraulique.

1726 – UNE VISION DU FUTUR
Dans son livre, *Les Voyages de Gulliver*, l'auteur anglo-irlandais Jonathan Swift imagine (et tourne en dérision) un avenir où les livres sont écrits par des machines.

1739 – LE CANARD DE VAUCANSON
L'inventeur français Jacques de Vaucanson crée le canard mécanique qui boit, mange, barbotte et fait semblant de digérer et de faire ses besoins.

1801 – LE MÉTIER À TISSER JACQUARD
A partir des idées de Vaucanson, un autre Français, Joseph-Marie Jacquard, perfectionne un métier à tisser qui produit automatiquement des dessins dans le tissu grâce à des bandes de carton perforées.

1820 – LA MACHINE À CALCULER
L'assureur français Thomas de Colmar invente la première véritable machine à calculer. Blaise Pascal en avait mis une au point dès 1642, qui ne savait qu'additionner et soustraire. Celle de Colmar additionne, soustrait mais sait également multiplier et diviser, avec un peu plus de difficultés toutefois.

1854 – L'ALGÈBRE ET LA LOGIQUE SYMBOLIQUE
Le mathématicien britannique George Boole publie un ouvrage dans lequel il expose les bases d'une algèbre qui a permis, plus tard, la naissance des ordinateurs et des robots.

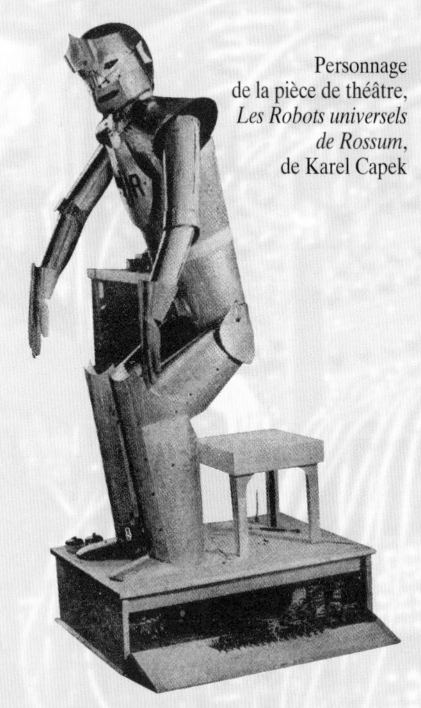

Personnage de la pièce de théâtre, *Les Robots universels de Rossum*, de Karel Capek

1921 – APPARITION DU MOT « ROBOT »
Pour la première fois, l'auteur tchèque Karel Capek utilise le mot « robot » dans sa pièce de théâtre, *Les Robots universels de Rossum*.

1941 – LES LOIS DE LA ROBOTIQUE
Dans son œuvre de science fiction, Isaac Asimov définit trois lois célèbres de la robotique. Elles définissent le rôle protecteur et de subordination du robot vis-à-vis de l'homme, son maître. Toutefois, elles ont été établies avec, à l'esprit, des capacités que la science moderne est bien incapable de donner aux robots. Aucune de ces lois n'est donc applicable aux robots réels d'aujourd'hui, et sans doute pour bien longtemps.

Six capteurs infrarouges permettent à Genghis de trouver son chemin dans l'environnement réel.

Genghis se déplaçant sur un terrain accidenté

1945 – L'ORDINATEUR MODERNE
Le mathématicien John von Neumann est le père du premier ordinateur dans lequel les programmes et les données sont stockés de la même manière, débouchant sur la vitesse et toutes les possibilités d'utilisation que nous connaissons aujourd'hui.

1948 – LES TORTUES DE GREY WALTER
A l'Institut de Neurologie Burden, à Bristol, au Royaume-Uni, le chercheur pionnier William Grey Walter crée deux tortues robots, Elmer et Elsie. Elles reproduisent un comportement qui ressemble à la réalité à partir de circuits électroniques très simples.

1950 – LE TEST DE TURING
Le mathématicien britannique Alan Turing énonce que si une personne tient une conversation avec un homme ou un ordinateur qui lui sont cachés et qu'il ne peut distinguer avec lequel il parle, alors l'ordinateur doit être considéré comme intelligent. A ce jour, aucune machine n'a réussi le test de Turing.

1956 – L'INTELLIGENCE ARTIFICIELLE
Les mathématiciens américains Marvin Minsky et John McCarthy organisent une conférence où l'on parle pour la première fois de l'intelligence artificielle.

1960 – LES RÉSEAUX NEURONAUX
Le chercheur américain Frank Rosenblatt met au point le Perceptron, un ordinateur doté du premier réseau de neurones artificiels. Dans cet ordinateur, la façon dont sont connectés les éléments qui assurent les calculs électroniques reproduit la manière dont sont connectés les neurones de notre cerveau et la façon dont celui-ci traite l'information.

1961 – LES ROBOTS INDUSTRIELS
Les ingénieurs américains George Devol et Joe Engelberger inventent les premiers robots industriels vendus sous le nom d'Unimate.

1973 – LA VISION INTELLIGENTE
Le département d'Intelligence artificielle de l'université d'Edimbourg, en Ecosse, fait la démonstration de Freddy II, un robot capable d'assembler un objet en sélectionnant dans un ensemble non trié les pièces nécessaires.

1984 – LE PROJET CYC
Après s'être rendu compte que les robots ne savent rien sur le monde réel, le chercheur américain Doug Lenat lance le projet Cyc dont le but ambitieux est de créer une base de données informatiques contenant la totalité des informations qui donnent à l'homme son bon sens.

1989 – GENGHIS
Un des premiers robots hexapodes, Genghis, est mis au point par le laboratoire d'Intelligence artificielle du Massachusetts Institute of Technology, aux Etats-Unis. Chacune de ses pattes est pourvue de deux moteurs. Un système de rétroaction indique au robot si une patte a heurté un obstacle.

1997 – LE P3 DE HONDA
Honda dévoile son robot humanoïde P3, l'ancêtre d'Asimo. Il marche, monte les escaliers, serre la main et se relève lorsqu'il est à genoux mais il est lent comparativement aux possibilités actuelles et pèse plus de 130 kg, ce qui peut en faire un outil dangereux.

1997 – ROBOCUP
La ville de Nagoya au Japon accueille le premier tournoi de football de robots, la RoboCup.

1999 – AIBO
Aibo, le premier chien robot, est lancé par Sony. Il sait faire plus de choses que ses prédécesseurs, tel Furby, mais coûte aussi beaucoup plus cher.

1999 – LE PREMIER CYBORG
Le professeur Kevin Warwick, de l'université de Reading, en Grande-Bretagne, affirme qu'il est le premier cyborg du monde après s'être fait implanter une puce électronique dans le bras gauche. Celle-ci permet aux machines de son laboratoire de réagir à sa présence quand il s'en approche.

2003 – DES ROBOTS EXPLORENT LA PLANÈTE MARS
En juin et juillet, la NASA lance les robots Spirit et Opportunity vers Mars. Ces sondes jumelles vont explorer la géologie de la planète rouge à l'aide d'instruments spéciaux pour analyser les roches, le sol et la poussière.

Le professeur Kevin Warwick montre la puce électronique qui a été implantée dans son bras.

QUEL AVENIR ?

Il est très difficile de prédire l'avenir de la robotique. La technologie progresse si rapidement que tout peut arriver dans les cinquante prochaines années. Voici ce que vous verrez peut-être se produire avant vos 80 ans.

2010 – Un robot passe le baccalauréat avec succès.
2020 – Des nanorobots espions, qui rampent, volent et nagent, agissent en coordination pour recueillir des renseignements top secrets.
2030 – Dans certains pays, on compte plus de robots que d'hommes.
2040 – Les robots sont aussi habiles pour la réalisation de nombreux services et font preuve d'une certaine capacité d'initiative, toutefois limitée.
2050 – Le défi lancé par la RoboCup consiste à faire jouer un match de football à une équipe de robots humanoïdes contre une équipe de footballeurs professionnels humains.

Le robot humanoïde P3 de Honda

POUR EN SAVOIR PLUS

La robotique étant un vaste domaine en pleine expansion, les nouveautés ne manquent pas. On peut étendre ses connaissances en se lançant dans la pratique, c'est-à-dire en entreprenant de fabriquer soi-même un robot et en apprenant à le faire fonctionner, ce qui peut aller jusqu'à écrire son programme informatique. Il existe pour cela des clubs de robotique, une grande quantité d'ouvrages et des sites internet consacrés à la question. On peut, chaque fois que l'occasion se présente, fréquenter les expositions consacrées au sujet dans les musées, les parcs d'attractions, participer aux visites organisées dans les usines ou les laboratoires de recherche.

Enveloppe robot cr pour muta appe Dal

VISITEZ LES MUSÉES ET LES EXPOSITIONS
Regardez les affiches et cherchez sur Internet les expositions temporaires consacrées à la robotique dans les musées et les parcs d'attraction scientifiques. Certains musées en comptent parmi leurs collections permanentes. Mais dans la mesure où ils les ferment au public de temps à autre pour entretien, il vaut mieux s'assurer de leur présence avant de se déplacer.

Les robots du Musée des télécommunications à Berlin, en Allemagne

QUELQUES SITES INTERNET

- Un site pédagogique très bien conçu pour la mise en application, en classe, des bases de la robotique. La programmation est abordée : www.educanet.ch/home/peip/robots/
- Des nouvelles, des articles, des interviews, des événements, tout ce qui concerne l'actualité de la vie artificielle : www.vieartificielle.com
- Le site de l'Association nationale des créateurs de robots : www.ancr.org/
- Un site du CNRS pour le grand public : www.cnrs.fr/CMA/dyna/rubrique.php3?id_rubrique=149

Le dinosaure animatronique montre ses dents acérées.

OUVREZ L'ŒIL SUR L'ANIMATRONIQUE
On peut voir des robots animatroniques qui font revivre les animaux disparus au cinéma, dans les musées, les centres scientifiques et les parcs à thème. Quand vous les aurez sous les yeux, observez bien comment ils bougent et essayez d'imaginer leur mécanisme interne.

Le Tyrannosaure du British Museum, à Londres

cène tirée d'un des premiers épisodes de *Doctor Who*

AU CINÉMA ET À LA TÉLÉVISION
De nombreux films mettent en scène des robots, de *La Guerre des Etoiles* à *A.I.*, en passant par *Jurassic Park* et bien d'autres encore. Il est passionnant de chercher à comprendre comment les réalisateurs et les techniciens sont parvenus à créer l'illusion. Devant telle créature qui apparaît à l'image, demandez-vous s'il s'agit d'une image virtuelle, d'un véritable acteur revêtu d'un costume, ou d'une machine commandée à distance fabriquée par des experts en effets spéciaux.

DES LIEUX À VISITER

EN FRANCE

• Musée du Conservatoire national des Arts et Métiers de Paris
Ce musée abrite une intéressante exposition consacrée surtout aux automates et un peu aux robots.
60, rue Réaumur, 75003 Paris. Tél : 01 53 01 82 00

Il n'existe pas, par ailleurs, de lieux abritant des expositions permanentes consacrées à la robotique et ses divers domaines. Régulièrement, toutefois, les musées et les grands parcs d'attractions scientifiques sont amenés à organiser ou accueillir une exposition temporaire sur ce sujet. Il importe donc de se tenir au courant de leurs programmes, notamment ceux des organismes suivants.

• Cité des Sciences et de l'Industrie
Parc de la Villette, 30, avenue Corentin-Cariou, 75019 Paris. Tél : 01 40 05 80 00

• Futuroscope de Poitiers
Parc du Futuroscope, RN 10, 86130 Jaunay-Clan.
Tél : 05 49 49 11 12

À L'ÉTRANGER

• Pass – Parc d'aventures scientifiques, Belgique
3, rue de Mons B-7080 Frameries
Tél : 32 (0)70 22 22 52
On peut s'inscrire à son club de robotique.

• Musée d'Histoire naturelle de Londres (British Museum), Grande-Bretagne L'une de ses attractions principales est un terrifiant Tyrannosaure de 4 m de haut (ce qui équivaut aux trois quarts de sa taille réelle), pourvu des tout derniers progrès en matière d'animatronique.

• Musée des télécommunications de Berlin, Allemagne Dans le hall d'entrée, trois sympathiques robots mobiles accueillent les visiteurs, les informent et les distraient.

Le robot Artbot, construit avec un kit Lego Mindstorms

Affrontement de robots dans l'émission de télévision anglaise *Robot Wars*

SSISTEZ À UN COMBAT DE ROBOTS !
ous pouvez regarder des combats de robots la télévision ou bien y assister, mais ces vénements ont lieu en majorité aux Etats-Unis. e plus connu est la BotBash, organisée tous les ans Phœnix en Arizona, mais il en existe d'autres, régis par Ligue américaine des combats de robots. En Grande-Bretagne, la « Inginuity Robot Crusade », qui a lieu au musée 'Ironbridge Gorge, et la « Robot Rumble » qui se tient à Pâques rès d'Ipswich, sont très populaires.

FAITES-LE VOUS-MÊME
Vous apprendrez beaucoup si vous prenez le temps de fabriquer vous-même un robot. Des kits pour débutants et personnes plus expérimentées sont disponibles dans certaines librairies, magasins de jouets et boutiques de vente en ligne. Vous pouvez peut-être aussi vous inscrire à un club de robotique proche de chez vous. Les livres et les magazines donnent également de nombreux conseils pratiques.

GLOSSAIRE

ALLIAGE Mélange de différents métaux contenant parfois une petite quantité d'éléments non métalliques pour apporter la solidité et la dureté qu'on ne trouve pas dans les métaux purs.

AMPLIFICATEUR Dispositif qui augmente le voltage d'un courant électrique. On peut l'adjoindre au capteur d'un robot pour lui permettre de commander un élément nécessitant plus de puissance que celle que le capteur peut délivrer, tel qu'un moteur électrique.

ANDROÏDE Robot qui imite parfaitement l'homme, à la différence de l'humanoïde. Actuellement, les androïdes n'existent que dans la fiction.

AUTOMATE Machine imitant les mouvements de l'homme ou de l'animal mais dépourvue d'intelligence et uniquement capable d'effectuer une série d'actions prédéterminées.

AUV (*Autonomous Underwater Vehicle*) Robot sous-marin inhabité et entièrement autonome destiné à l'exploration du fond de l'océan.

BALISE Objet fixe destiné à aider les robots à naviguer. Certaines balises renvoient simplement au robot l'écho du signal qu'il a émis tandis que d'autres émettent des signaux infrarouges ou des ultrasons.

BRAS ROBOTISÉ Bras articulé polyvalent, commandé par informatique, qui peut manipuler des outils et effectuer un travail d'ouvrier d'usine. C'est le type de robots le plus répandu actuellement.

Le tigre de Tippoo, 1795

CCD (*Charge-Coupled Device*, « dispositif à couplage de charge ») Puce électronique qui reçoit une image venant d'une lentille et la convertit en signaux électriques qui peuvent être transmis par un câble. Ce dispositif équipe les caméras digitales, les scanners et le système de vision des robots.

CIRCUIT IMPRIMÉ Support plastique où se trouve imprimé un réseau de conducteurs électriques et sur lequel on soude des composants électroniques pour former un circuit, telle la console commandant un robot.

CYBORG Etre vivant sur lequel on a greffé des pièces électroniques ou mécaniques. Ce terme fut inventé par le scientifique autrichien Manfred Clynes en 1960.

Elma, robot hexapode de l'université de Reading, en Grande-Bretagne

DEL (Diode électroluminescente) Composant électronique qui émet de la lumière quand un courant le traverse. Cette lumière peut être visible dans le cas d'un signal destiné à un homme, ou infrarouge si ce signal s'adresse à un robot.

DÉTECTEUR (OU CAPTEUR) DE CHOCS Capteur qui prévient le robot qu'il a heurté quelque chose. Celui-ci peut tout simplement être constitué de deux lamelles à ressort qui entrent en contact sous l'effet d'un choc.

DÉTECTEUR (OU CAPTEUR) DE CONTACT Capteur qui indique au robot quand ses roues ou ses pattes ne touchent plus le sol. Il est constitué par deux contacts qui se touchent sous l'effet du poids du robot en situation normale.

DÉTECTEUR (OU CAPTEUR) DE PROXIMITÉ Capteur destiné à mesurer les très courtes distances entre un robot et un objet.

DÉTECTEUR (OU CAPTEUR) TACTILE Dispositif électronique qui réagit à la pression provoquée par un contact entre le robot et un objet, ce qui produit un sens du toucher artificiel.

DONNÉES Eléments d'information concernant des mesures ou d'autres renseignements de base, recueillis et stockés par un robot en fonctionnement. L'ordinateur se sert de ces données pour décider ce que va faire le robot.

ÉLECTRODE Pièce de métal destinée à réaliser une connexion électrique avec un objet, par exemple la mise en contact de l'électronique d'un ordinateur à un nerf dans un organisme vivant.

GPS (*Global Positioning System*, « système de positionnement global ») Système servant à déterminer une position à la surface de la Terre en comparant les signaux radio émis par plusieurs satellites. On obtient la position du récepteur GPS à quelques mètres près.

GROUPE DE ROBOTS Groupe constitué de plusieurs petits robots identiques ayant chacun sa propre intelligence et pouvant agir de façon autonome mais seulement dans le cadre du groupe.

HEXAPODE (ROBOT) Robot à six pattes dont le déplacement s'inspire de la marche des insectes.

IMPLANT Tout élément introduit dans le corps, sous la peau d'un être vivant par une opération chirurgicale. Les implants réalisés sur les cyborgs communiquent en général avec les ordinateurs par radio ou par magnétisme.

INFRAROUGE (RAYONNEMENT) Lumière dont la fréquence est inférieure à celle du rouge de l'arc-en-ciel, et donc invisible pour l'œil humain. Les robots l'utilisent pour naviguer et communiquer.

INTERFACE Dispositif par lequel deux systèmes différents peuvent communiquer. La télécommande, qui permet à l'homme de donner ses instructions à un robot, est un exemple d'interface.

LOGICIEL (OU PROGRAMME) Ensemble d'instructions nécessaires au fonctionnement d'un ordinateur destiné à effectuer une tâche ou un ensemble de tâches données.

MICROPROCESSEUR Composant électronique réunissant, dans un seul circuit intégré, des millions de transistors microscopiques qui assurent des millions de calculs à la seconde. Ils constituent les unités centrales de traitement des données de nos ordinateurs. Ils entrent, à ce titre, dans les systèmes de contrôle des robots et sont les composants matériels de leur intelligence artificielle.

MODULE Partie indépendante d'un robot ou d'un programme informatique. Les modules peuvent être conçus et testés séparément puis assemblés pour former le produit fini.

MUSCLE MÉTALLIQUE Câble réalisé en alliage de nickel et de titane. Il se rétracte lorsqu'il est chauffé par le passage d'un courant qui le traverse, exerçant ainsi une traction sur les points auxquels il est relié.

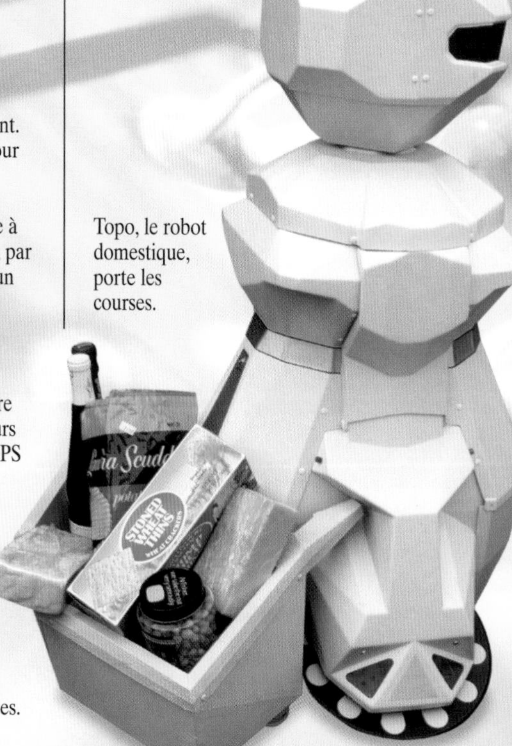

Topo, le robot domestique, porte les courses.

NANOROBOT Robot si petit qu'il n'est visible qu'au microscope. Aucun nanorobot n'a encore vu le jour à l'heure actuelle, mais les techniques qui permettraient de les réaliser sont à l'étude.

ORDINATEUR EMBARQUÉ Ordinateur faisant partie d'un robot mobile et qui se déplace avec lui, à la différence d'un ordinateur en poste fixe qui le commande soit par un fil, soit par liaison radio.

PLATEFORME Structure de base d'un robot mobile équipée de moyens de locomotion.

PNEUMATIQUE Qualifie un dispositif fonctionnant grâce à l'air. Le plus souvent, il s'agit d'un piston mobile situé dans un cylindre. L'air comprimé fait bouger le piston en arrivant dans le cylindre.

RADAR (acronyme de *RAdio Detection And Ranging*, « détection et localisation par radio ») Système permettant de détecter la présence, la position et la vitesse des objets par l'émission d'ondes radio et l'enregistrement de leur écho.

RAISONNEMENT Faculté d'utiliser des informations pour aboutir à une conclusion qui génère une décision d'action à l'aide d'une logique. La logique utilisée par les robots est la logique cartésienne. L'homme utilise beaucoup d'autres types de logiques pour aboutir à une décision. C'est pourquoi les robots sont très limités dans leur intelligence.

RÉSEAU NEURONAL Cerveau artificiel obtenu en reliant des unités de calcul électroniques en grand nombre et de la même manière que sont reliés entre eux les neurones de notre cerveau. Chaque unité de calcul entretient des liaisons multiples avec les autres unités de calcul. Les réseaux neuronaux peuvent effectuer des tâches difficiles telles que la reconnaissance des visages.

RÉTINE A l'intérieur de l'œil, surface sensible à la lumière sur laquelle les images se forment. Elle est reliée au cerveau par le nerf optique, ce qui nous permet de voir.

RÉTROACTION Procédé par lequel l'élément contrôlé informe l'élément qui le contrôle des effets produits par les signaux de contrôle. Cette information apporte une précision supplémentaire au système de commande, lui permettant d'être plus précis.

ROBOT AUTONOME Robot qui ne nécessite pas d'être commandé par l'homme (qui l'a cependant programmé), capable de prendre seul certaines décisions et de se déplacer ainsi sans aide extérieure.

ROBOT CONVERSATIONNEL Programme informatique pouvant avoir une conversation avec l'homme. Les robots conversationnels actuels sont très limités – ils servent pour les services télématiques (accueils téléphoniques), par exemple.

Recto et verso d'un microprocesseur

ROBOT D'ÉQUIPE Robot travaillant au sein d'une équipe sous le contrôle d'un ordinateur central.

ROBOT DOMESTIQUE Robot destiné à travailler à la maison à côté de l'homme pour effectuer les tâches ennuyeuses que sont le nettoyage et le rangement. A l'heure actuelle, les plus performants sont des aspirateurs et des tondeuses à gazon.

ROBOT HUMANOÏDE Type de robot qui marche sur deux jambes et possède un corps, deux bras et une tête. Les humanoïdes ressemblent aux êtres humains mais ne sont pas exactement comme eux.

ROBOT INDUSTRIEL Robot utilisé dans l'industrie. Souvent constitué d'un simple bras en poste fixe, il peut bouger dans plusieurs directions et utiliser toute une gamme d'outils.

SILICONE Caoutchouc artificiel dont l'élément principal est le silicium, à la différence du vrai caoutchouc essentiellement constitué de carbone. Le silicone est plus résistant et a une durée de vie plus longue.

SONAR (acronyme de *SOund Navigation And Ranging*, « navigation et localisation par le son ») Utilisation du son pour localiser des objets et mesurer la distance à laquelle ils se trouvent. L'émetteur du sonar envoie une onde ultrasonore vers l'objet et le temps que met l'écho à revenir indique la distance à laquelle se trouve celui-ci.

SOUDER Assembler deux pièces, en général métalliques, par la chaleur ou la pression ou les deux à la fois. Les robots soudeurs serrent très fort des pièces de métal tout en faisant passer un courant électrique dans celles-ci afin d'élever leur température.

SURVEILLANCE Fait d'observer attentivement quelque chose ou quelqu'un. Certains robots de surveillance doivent se cacher tout en enregistrant ou en transmettant des images de ce qu'ils voient.

SYNTHÈSE VOCALE Ensemble des techniques numériques utilisées pour convertir du texte ou tout autre type de données codées en des sons ressemblant suffisamment à la parole pour qu'on les comprenne.

TÉLÉMÈTRE Détecteur qui mesure la distance se trouvant entre lui et un objet, par exemple un obstacle tel qu'un mur, au moyen d'un rayon laser, d'ondes radar ou ultrasonores.

TRIDIMENSIONNEL Qualifie un espace qui comporte trois dimensions (3D), comme un volume, par opposition à un plan qui n'en comporte que deux. Une sculpture est tridimensionnelle tandis qu'un tableau ne l'est pas.

ULTRASON Son dont la fréquence de vibration est trop élevée pour être entendue par l'oreille de l'homme. Les ultrasons sont utilisés dans les sonars et les télémètres des robots.

VIRTUEL Qualifie une simulation visuelle, généralement créée par ordinateur et affichée sur un écran, de quelque chose qui, soit n'existe pas réellement, soit existe ailleurs ou sous une autre forme.

Des bras robotisés effectuent des soudures sur une chaîne d'assemblage d'automobiles.

INDEX

ICONOGRAPHIE

a = au-dessus ; b = bas ; c = centre ; g = gauche ; d = droite ; h = haut.

Les éditeurs adressent leurs remerciements aux personnes et/ou organismes cités ci-dessous pour leur aimable autorisation de reproduire les documents et photographies.

ActivMedia Robotics, www.MobileRobots.com : 2cd, 4bd, 24cd, hdc, 25hg ; Advanced Design, Inc. : 27 ; Aerosonde : 42c, cb ; AKG images : 11hg, 36hg ; AUVSI.org : 45bg ; Clayton G. Bailey/www.claytonbailey.com : 48bd ; BBC Picture Archives : 30–31b, 69bg ; John Kittelsrud/Botbash Robotic Combat Sports : 30cd ; Burden Neurological Institute : 12cg ; Paul Spooner/Cabaret Mechanical Theatre 2000, photo : Heini Schneebeli : 11bd ; Carnegie Mellon, Photo : Ken Andreyo : 57bg, bc ; Central Art Archives, Kenneth Rinaldo/Musée Kiasma d'art contemporain, Helsinki/Photo : Petri Virtanen : 48hg ; Century, photo : Simon Battensby : 63cd ; Corbis : 44–45, 45bd, 50c, hg, 51cg, 63hd, 64–65, 66–67 ; Forrest J. Ackermann Collection : 8c ; Archivo Iconografico SA : 30hg ; Joe Bator : 43hg ; Annebicque Bernard/Sygma : 41g ; Bettmann : 6hd, 13g, 26hg, 28g, 32hg ; Duomo : 32hc ; Pitchal Frederic/Sygma : 33hg ; France Télécom/IRCAD/ Sygma : 37hg ; Laurence Kesterson/Sygma : 18cg James Leynse/Saba : 20h, 21cda ; Joe McDonald : 56hg ; Charles O'Rear : 71b ; Roger Ressmeyer : 34hg, 38bd, 70bd ; Touhig Sion/ Sygma : 68b ; Sygma : 53hd ; Soqui Ted/Sygma : 30cg ; Bill Varie : 34-35 ; Haruyoshi Yamaguchi/ Sygma : 1, 32hd, 33hd, 60hd, b ; CSIRO Exploration Mining : 64hg ; Defense Advanced Research Projects Agency : 43hc, hd, bd, 42-43 ; Eaglemoss International Ltd/ www.realrobots. co.uk/Simon Anning : 15hg ; Electrolux : 18bd, 39hd ; Evolution Robotics/Idealab Company : 2hc, 55cd ; Photo : Elvira Anstmann/ Ethno-Expo Zurich : 56hd, cd ; Mary Evans Picture Library : 6hg, 10hg, hd, 20g, 38hg, 39hg, 66bg, 68bd, 70cg ; Jakob Fredslund : 54hg ; FriendlyRobotics : 39bd ; Fujitsu Ltd : 39bc ; Hulton Archive/Getty Images : 24hd ; Boilerplate ™/Paul Guinan : 64bd ; Hasbro 2003, tous droits réservés : 55bd ; Dr J. B. C. Davies, Heriot Watt University : 45cd ; Honda (UK) : 4 bg, 60hg, 64bg ; Team Shredder, UK : 31 hg, hd, cg ; Intel Corporation Ltd : 71hd ; Peter Rowe, Dave Pearson/Kawasaki Robotics Ltd : 20d ; Kate Howey, Elgan Loane/Kentree Ltd : 22cd, c, bg ; Kitano Symbiotic Systems Project : 61bd ; Designer Shunjo Yamanaka, Photo Yukio Shimizu : 61hg ; Keith Kotay, Dartmouth Robotics Laboratory, USA : 63bd ; K-Team S.A., Switzerland : 2bg, 25hc ; The Lego Group 2003 : 2cg, 4cdb, 27bg, 69bd ; LEGO Group : 32–33 ; Steve Mann : 58hg ; Microvision Inc. : 58bg, bd, cd, hd ; Photo : Paul Miller : 26cg ; MYCOM, Mayekawa Mfg. Co Ltd : 64hd ; Dug North Automata : 48c ; Lucent Technologies : 13c ; Laser and Electronics Group, Mitsubishi Heavy Industries Ltd. Japan : 4cda, 38bg ; Hans Moravec : 43cd, bg ; Museum fur Kommunikation, Berlin : Photo Timm Köllln : 68c ; Museum of the Moving Image : 9bg ; Nanyang Technological University/ Modula Robotic eRobot Locomotion Group, School of MPE, NTU : 65h ; NASA : 42hd, 46b, cgb, h, 47b, hd ; NASA Ames Research Center : 27hd ; National Museum of Japanese History : 11hd ; Naturag Environment Research Council/ Nick Millard/ Southampton Oceanography Centre : 45h ; Nature Picture Library : Mark Brownlow : 44hd ; Photo : Mark Ostow : 51hg ; PA Photos : EPA-UK : 29cg, 50cg ; A. K. Peters, Ltd. : 27hg ; The Picture Desk : Advertising Archives Ltd : 22hg ; The Art Archive/Victoria et Albert Museum London/Sally Chappell : 10–11 ; Kobal Collection : AARU PRODS : 68hd ; Lucas Film/20th Century Fox : 8d ; ORION : 9hg ; TRI-STAR : 9bd ; Rex Features : 7d ; Action Press : 22–23c ; Nigel Dickinson : 20–21c ; David James : 18cd ; Nils Jorgensen : 29hd ; Masatoshi Okauchi : 50bg, 51bd, 62g ; Sipa Press : 66h ; Warner Br/ Everett : 59bd ; Christian Ristow : 48bg ; robotlab/www. robotlab.de : 49bg, bd ; PAC, Neal Scanlan Studio : 53hg ; Science Photo Library : Delphine Aures/ Eurelios : 57c ; Claude Charlier : 36cg ; Colin Cuthbert : 44bg ; European Space Agency : 47cd ; Mauro Fermariello : 35hd ; Astrid et Hans Frieder Michler : 62–63 ; Bruce Frisch : 67h ; A Gragera/Latin Stock : 44bc ; Adam Hart-Davis : 17h ; James King-Holmes : 59bg ; Mehau Kulyk : 18hg ; Lawrence Livermore National Laboratory : 42hg ; Los Alamos National Laboratory : 12hc ; Peter Menzel : 17cg, 19bg, 29ca, 36–37b, 41h, 44hg, 51d, 55hd, 67b ; Rob Michelson/GTRI : 47hg ; Miximilian Stock Ltd : 7hg ; Hank Morgan : 41bg, 49hg, hd, 68–69 ; NASA : 23hg, 46cg ; NASA/ Carnegie Mellon University : 23bd ; Sam Ogden : 19cd, 23cg, hd, 54cd, bg, bd ; Philippe Plailly/Eurelios : 25hd ; H. Raguet/Eurelios : 37hd ; Volker Steger : 36bg, c, 41bd ; Taquet, Jerrican : 7c ; Tek Image : 70–71 ; Mark Thomas : 19hg ; Victor Habbick Visions : 62bd, cd ; Peter Yates : 17bg ; Ed Young/AGStock : 21cda ; Science & Society Picture Library : 12hd ; Science Museum : 44bd, cd ; Seiko Epson Corporation : 65b ; www.automationpartnership.com : 35cd ; Shadow Robot Company : 15hd ; School of Electrical and Electronic Engineering, Singapore Polytechnic : 61hd ; Dave Hrynkiw, Solarbotics Ltd : 14hd ; SRI International : 4cg, 13cd, 24cg ; projet « SWARM-BOTS » (www.swarm-bots.org)/Commission Européenne/ Future Emerging Technologies : 57bd ; tmsuk Co., Ltd. Japan : 5hd, 38–39 ; Laboratoire Hirose/Tokyo Institute of Technology, http ://mozu.mes.titech.ac.jp/hirohome.html : 40b ; Department of Electrical and Electronic Engineering, University of Portsmouth : 40h ; University of Reading : Department of Cybernetics : 63g ; Kevin Warwick : 59h ; University of Westminster : 13bd ; US Department of Defense : 42cd ; Valiant Technology, www.valiant-technology.com : 26bg, c, bc ; Waseda University : Humanoid Robotics Institute : 51d ; Atsuo Takanishi Lab : 55g ; V & W Animatronics : 52g, d, 53cg, bd.

Couverture : documents Dorling Kindersley à l'exception de 1er plat : V & W Animatronics : c , ActivMedia Robotics : hd, 4e plat : A KPeters, Ltd : hd.